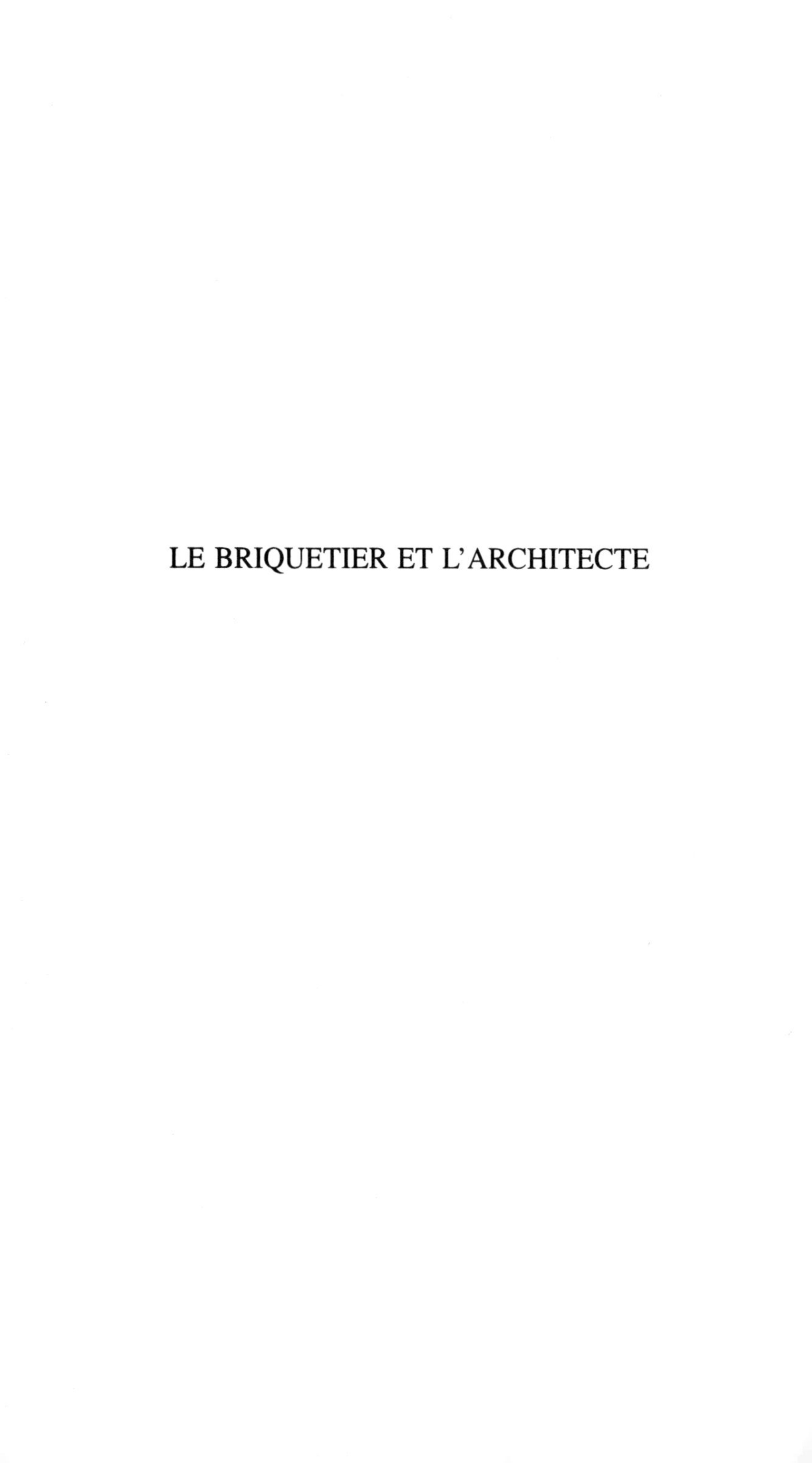

LE BRIQUETIER ET L'ARCHITECTE

J.F. Dowd

LE BRIQUETIER ET L'ARCHITECTE

ÉDITIONS DU NOROÎT

Le Noroît souffle où il veut, en partie grâce aux subventions de la Société de développement des entreprises culturelles du Québec et du Conseil des arts du Canada.

Les Éditions du Noroît bénéficient également de l'appui du ministère du Patrimoine canadien dans le cadre du Programme d'aide au développement de l'industrie de l'édition (PADIÉ).

Infographie : Yolande Martel
Artiste : Marc-Antoine Nadeau

Dépôt légal : 2e trimestre 2000
Bibliothèque nationale du Québec
Bibliothèque nationale du Canada
ISBN 2-89018-445-5

Données de catalogage avant publication (Canada)

Dowd, J.F.

Le Briquetier et l'Architecte
(Collection Chemins de traverse)

ISBN 2-89018-445-5

1. Poésie – Histoire et critique. 2. Poésie – Art d'écrire.
I. Titre. II. Collection

PN1113.D68 2000 809.1 C00-940592-5

DISTRIBUTION AU CANADA

EN LIBRAIRIE

Fides
165, rue Deslauriers
Saint-Laurent (Québec)
H4N 2S4
Téléphone : (514) 745-4290
Télécopieur : (514) 745-4299

Éditions du Noroît
6694, avenue Papineau
Montréal (Québec)
H2G 2X2
Téléphone : (514) 727-0005
Télécopieur : (514) 723-6660

DISTRIBUTION EN EUROPE
Éditions du Cerf
29, boulevard Latour-Maubourg, 75340 Paris
Téléphone : (1) 44 18 12 12
Télécopieur : (1) 45 56 04 27

Imprimé au Québec, Canada

Le réel d'un discours, c'est après tout cette chanson, et cette couleur d'une voix, que nous traitons à tort comme détails et accidents.

Paul Valéry
Eupalinos

Avant d'aller plus loin, je crois qu'il sera fort utile de dire à qui au juste je réserve le nom d'architecte ; je ne vous présenterai pas, certes, un charpentier, en vous demandant de le considérer comme l'égal d'un homme profondément instruit dans les autres sciences, bien qu'en vérité l'homme qui travaille de ses mains soit l'instrument de l'architecte.

Leon Battista Alberti
Traité d'architecture

Il y a peu à dire au sujet d'un ouvrage qui n'a fait que recueillir des impressions du moment. On irait, parlant à sa place, essayant de surplomber ou de réordonner ses desseins, contre son pas qui s'est porté d'emblée, lui, du particulier vers le général, du singulier vers ce qui compte (peut-être...) pour plus d'un, de la phrase tâtonnante, du mot orphelin vers le paragraphe qui les a intégrés dans quelque signification, celle-là toujours hypothétique, mal assurée, humorale. Que l'on se considère comme avertis : ce livre est le fait d'un briquetier beaucoup plus que d'un architecte. Son auteur est le premier à reconnaître que les quelques vertiges ou dogmatismes qu'on pourra y trouver ne procèdent pas d'une situation surplombante, encore moins d'une prétention à l'éminence. En fait, même si un ouvrier obsessif, tâcheron du détail, s'est penché longtemps sur ces petites pièces, c'est tout de même le désabusement ou la lassitude qui ont décidé le plus souvent de leur état final. Il faut donc tenir cet avertissement comme exemplaire de ce qui suit, par sa forme succinte – et par beaucoup de prudence dans la formulation. À ceux qui ne craignent point d'être tachés de mortier, qui se connaissent le courage de négliger les devis, les calculs d'un architecte, qu'ils s'abandonnent avec nous, ici, à l'art un peu rustre du briquetier. Lui, au moins, ne nous trompera pas.

Le Briquetier et l'Architecte

On dit : « C'est un poème fort.
Mais fait-il rien qu'un autre livre,
Tout bien compté, ne pourrait suivre ?
— Si... Il en est le contrefort. »

John Shade

L'expression juste, oui, si elle éclaire,
si elle ouvre la voie.

Philippe Jaccottet

On ne s'emballera pas devant l'encre qui a coulé de sa propre plume : ce n'est que de l'excrétion. Oui, un temps, cette *pilosité de l'esprit* a bien participé de notre substance, aidant même parfois à nous caractériser. Mais tout comme les sorties d'étoiles de la barbe finissent par nous transfigurer, la chose publiée, signée de notre nom, c'est de loin bientôt qu'elle nous fait signe. Vite, qu'on nous ôte ça de la face !

*

La qualité d'un écrivain ne se mesure pas seulement à son œuvre, aux pièces de vers ou de prose qu'il a écrites, puis livrées aux soins des boutiquiers et des hâbleurs – mais aussi à ce qu'il a résolu de ne pas livrer au public, aux faiblesses qu'il s'est gardé de divulguer, à tout ce qu'il a eu, en somme, la courtoisie de laisser à d'autres, pour la contemplation ou la manigance.

*

Étrange aveuglement de celui qui retouche le détail d'un ensemble, car la mesure attendue, alors, ne serait-elle pas de tout rebrasser ou rien du tout ? Quel midi, soudain, lui permet de s'accorder une trêve dans la révision ? Quel surplomb lui laisse tracer des points, des virgules, faire des parenthèses parmi ces phrases que la syntaxe avait conduites, jusque-là, vers de prudentes interrogations ?

*

Le *mobile*, cette quincaillerie qui sans cesse vrille et ondoie au-dessus de vos têtes, ôtez-lui une seule de ses fibrilles de métal, voilà qu'il vous regarde de guingois, virgule ou point d'interrogation – quelque chose de mal assuré et qui questionne. Mais ce menuet saccadé, bizarre, ne livre-t-il une beauté plus prenante, plus durable, que cette poésie que vous cherchez si confusément ?

*

Mallarmé nous fait penser à ce laboureur, tellement préoccupé de la netteté du sillon qu'il en oublie le goût de l'orge – et le goût similaire sur les pommettes de l'amoureuse.

*

Rimbaud : le chant du gondolier – *après* qu'il ait fini de servir. Parole glabre, pleine de chair, qui porte à détourner la tête ainsi qu'on ferait près de n'importe quel couple affairé, impudique, ravi. Mais la main s'écarte, parfois, et le corps pubescent livre ses replats et ses fermetés.

*

La poésie lue, prise en main par un autre, au théâtre par exemple, avec ses accents trop étudiés, ses effets d'éclairage, laisse une impression de rendez-vous manqué, de lendemain de bonheur. C'est le sourire d'une femme qui prête la lettre initiale, puis s'efface.

*

L'écrivain n'est qu'un interprète (c'est de science courante depuis la formule de Rimbaud : « JE est un autre. Tant pis pour le bois qui se trouve violon », etc.). Le lecteur, celui qui se recueille, qui déclame ou joue, se trouve être l'interprète de l'interprète, loin déjà du lingot initial. Mais que dire du spectateur de théâtre, qui n'est ni l'un ni l'autre et qui espère d'une lecture qu'elle l'exhausse, le contente, le trouble ? De l'intime, on est passé à l'impudeur, au spectacle. Ce n'est plus, tant s'en faut, celui qui faisait l'amour (l'auteur étreignant son propre texte), ni celui qui regardait faire l'amour (le lecteur épiant les plaisirs d'un autre) : le public de théâtre, désengagé, hypocrite, tapi dans l'obscurité, se trouve regarder quelqu'un regardant faire l'amour. Divertissement assez peu avouable, on en conviendra.

Jean-Louis Barrault : « Le spectateur de théâtre est un voyeur. » Pire encore : une sorte de désaxé ou d'invalide, qui en demande pour son argent…

*

La poésie se lit en dehors des cercles, auprès des abîmes, tout contre l'amoureuse qui ne se donne pas.

*

Le blanc doit être appel, refuge, pour l'esprit indiscipliné ou paresseux : celui du *vrai* lecteur. Ce lecteur, on le reconnaîtra à ce qu'il peut débusquer des vérités, là où l'auteur ne les avait qu'approchées ; à ce qu'il sait rectifier certains vers, certaines chutes de phrases, pour qu'un mot ici placé désigne mieux une réalité à laquelle il est lui-même sensible. Mais toujours faut-il que l'ouvrage lui-même se soit prêté à une pareille communication. Qu'il se trouve, en effet, dans l'ouvrage une seule influence trop visible, un seul trait emprunté ou mal transposé, voilà que les rêveries ou les réflexions auxquelles cet ouvrage eût pu donner lieu s'effacent devant une seule idée : savoir qu'il évoque tel autre livre meilleur que lui. Ne reste plus, alors, qu'à griffonner des remarques d'érudition ou d'humeur. L'attrapeur de mots se plaît à les piquer sur la page. Œuvre de briquetier.

*

Les grands écrivains sont ceux qui dépassent, en se jouant, les errances ou les maladresses de leur époque – ces errances, ces maladresses se trouvant, par le fait même, dénoncées, dépliées dans l'histoire avec leur caractère fortuit ou répréhensible. Mais ces grands écrivains sont aussi les brisants sur lesquels s'abattent nos espoirs. Ce sont les auteurs médiocres, curieusement, les contemporains chaleureux mais dépourvus qui prêtent le mieux confiance et force d'espoir pour continuer. Eux seuls, en effet, amènent au velléitaire, à l'apprenti, le sentiment d'un dépassement possible.

*

C'est d'un air important que les interviewés affirment – et sans crainte d'accorder à leur expérience singulière une valeur universelle – qu'« on écrit à partir de ce qu'on a lu ». Or cette vérité sommaire et généralement admise, ne peut-on la pousser plus loin et prétendre qu'on écrit *cela même* qu'on a lu, si ce n'est d'une pente différente dans la syntaxe, une distorsion légère là où la phrase se contracte ou s'allonge, une préférence pour le cynisme ou pour le désemparement ? Les tournures dites « personnelles » n'affleureraient donc qu'aux endroits où s'est produit un hiatus dans l'admiration du maître ? Les corrections que l'on apporte ne seraient que le fait d'un oubli dans le plagiat de la veille – ou d'une défaillance, aujourd'hui, à reconnaître le plagiat d'hier ? Pourquoi pas. On pourrait conjecturer, à la rigueur, que le travail fini n'est autre que celui où se confond, dans l'esprit de l'« auteur », l'identité du modèle et de l'original...

*

Les histoires de grands écrivains méconnus sont souvent le fait de critiques méconnus qui voulaient établir leur propre gloire sur la présomption d'avoir reconnu ce que leurs contemporains négligeaient.

(Les critiques ne font que crépiter, ce sont les étincelles qui montent.)

*

Les traducteurs sont avant tout des artistes en leur propre langue. Cette prémisse établie, on peut se questionner à savoir pourquoi un écrivain au talent sûr dans son idiome s'efforcerait, dans une traduction, à « décalquer » les imaginations d'autrui. Pourquoi imiterait-il, en effet, le miroitement de telle langue à l'aide des feux de telle autre, s'il connaît ce qu'un pareil procès comporte de trahisons ? Pourquoi tant d'efforts s'il sait par avance devoir aboutir à une œuvre qui ne soit ni la sienne, ni celle de son auteur original ? Le grand écrivain dessine ses propres frontières qui, d'emblée, excèdent les frontières connues. « On ne découvre pas des terres nouvelles sans consentir à perdre de vue le rivage », nous souligne André Gide. Or, dans son travail, le traducteur sera contraint soit à faire face à des limites là où pour lui il n'y en aurait pas eu, soit, au contraire, à parcourir, sur les traces de l'auteur traduit, un territoire qui le rend, lui, perplexe. Il doit, là, brider son propre génie, ici laisser les rênes en des contrées qui lui sont peu familières. Telle est la traduction. On accepte de singer les réussites, on consent à reproduire les failles. Il faut un mélange rare de perspicacité et de modestie pour reconnaître d'abord chez un écrivain étranger un compagnon de route possible, puis accepter d'épouser tout ensemble ses éclats et ses égarements. On peut aussi, bien sûr, n'être qu'un ventriloque, un répétiteur salarié et ne pas se poser la question.

*

Les mots ne sont pas rien que des angles à tracer à l'équerre, des points qui, reliés, donnent une ligne parfaite. Le problème de l'interprétation d'un poème, à cet égard, ou de la transmission en une autre langue d'un poème, on l'a très tôt révoqué, posant qu'il s'agissait d'un faux problème. Il est de notoriété courante, en effet, que la poésie ne se peut traduire en aucune langue, à commencer en cela par la langue même dont elle est issue. Elle parle une langue tierce et comme absolue, à laquelle tous les codes, tous les systèmes de signes ne servent que de marchepied, instrument de peu de brillance et, en quelque sorte, *rétractable*. Les caractères sur la page doivent bien toujours s'acquitter de leur fonction de signe – c'est-à-dire interpellation, intelligence – mais aucun de ces signes ne saurait apporter l'assurance ni d'une adéquation parfaite au monde, ni de l'accomplissement du miracle de la poésie. Cela advient ou n'advient pas, souverainement, comme une fumée monte ou ne monte pas sans égard à ce que l'on a sacrifié au dieu. Cependant, si l'on ne commande pas aux miracles, on commande tout de même aux circonstances de la prière ou du recueillement. Ainsi, il serait hasardeux que les poètes ne s'encombrent plus d'aucune amitié ou connivence avec le lecteur : cela reviendrait à croire que l'alliance aux amants n'est plus garante d'aucune promesse et que les fiançailles se résument à de simples jeux de literie.

Pour faire écho (modeste, lointain...) à une idée de Claudel, nous poserons que la connaissance procède, non pas comme les jours énumérés à la file sur le calendrier – pour donner un chiffre total dans l'année –, mais à la façon plutôt des cultures dont l'assolement est assuré par les hommes de la terre. Le traducteur, alors, serait une manière de démiurge : il serait celui qui décide des mouvements de la pensée dans l'histoire comme des mouvements de la lumière sur les diverses cultures qu'on a complantées.

*

Le compositeur, dans le réseau compliqué des voix de l'orchestre, veille à ce que les premiers et les seconds violons, jouant des airs différents mais accordés, se confondent pour donner une tierce mélodie qui soit la seule qu'on entende. Il en va de même pour l'écrivain de la disposition des espaces et des signes satellites sur la page. Celui qui écrit, en effet, ne va pas sans essayer d'arranger toutes ses ressources pour donner un ensemble concertant, le trille délicat des muettes, la coquetterie du tréma ou de la cédille, les pronoms, les déterminants – superflus au premier regard, mais qui provoquent l'allongement des murmures dans les complétives –, l'incontournable adverbe en *–ment* qui offre son appui à tant de versets claudéliens, à tant de phrases méandreuses de Gracq. Et que penser du léger tremblement de l'italique, surtout lorsque le Garamond lui prête de longs empattements, comme pour d'ambitieuses foulées… Oui, les signes typographiques s'harmonisent, en dehors de l'organisation sémantique du texte, et complètent, à traits discrets, son acuité descriptive ou son élégance, ainsi qu'on en voit l'exemple aux jeux calligraphiques du Moyen Âge (chez le poète Francis Ponge également, et chez René Char).

*

Mais le prodige s'accomplit avec peut-être un peu trop de conscience chez Ponge. On songe en effet, à la lecture de *Pièces* ou, surtout, de *La rage de l'expression*, à ces miroirs de contes de fées d'où sortent des voix fabuleuses. Mais le miroir magique, ici, au lieu de livrer des ombres ou d'accueillir les confidences, *décrit* ce qu'il regarde, ce qui fait double emploi, bien entendu, avec le tain qui reproduit les formes : « [Les pins] vivent même par ces bouts-là autant que par leurs sommets (oh que je m'exprime mal). » « Si les individus de l'orée (orée ou lisière : termes à vérifier dans *Littré*)… » « *Le mot* OISEAU : il contient *toutes les voyelles.* Très bien, j'approuve. Mais, à la place de l'S, comme seule consonne, j'aurais préféré l'L de l'aile… » Il y a loin de ces pattes de vipereaux, empreintes de martinets, façades pivelées par le soleil que René Char fait s'animer sur la page par le seul prodige des accents, cédilles ou points-virgules…

*

Aussi bien, comme on sait, les muettes ne font pas rien que fournir de l'ombre entre les éclats des syllabes fortes : elles permettent le grossissement de la phrase – l'œil reste ouvert un peu plus longtemps, on dirait, avant le point final. C'est un peu comme de la neige qui attendrait, suspendue (inquiète ?) en l'air :

La neige ne fond pas gaiement,
Évasive enfant descendue de l'air,
Lorsque les nuages cantonnent.

René Char

*

Toute phrase ne se dessine-t-elle à la manière du trait que le peintre laisse filer sur sa toile ? Les phrases sont faites de sommets et de chutes que l'on ne saurait évaluer mieux que par le mouvement du crayon sur la page. On n'imagine pas qu'un peintre aille appliquer son trait de couleur autrement que de sa propre main allongée par le pinceau : en composant, par exemple, une information numérique sur ordinateur. Un tel artifice est disponible, certes, et il est profitable que l'on explore toutes les ressources de la technique, ne seraitce que pour rejoindre le hasard ou la beauté par des voies tortueuses, surprenantes, en un mot : *modernes*. Mais rien ne remplacera le geste primitif du peintre avec sa patience. Rien ne prendra la place du crayon – ou du pinceau tout aussi rétrograde – pour envoyer plus directement et plus sensiblement au cerveau les surprises de la création. Les procédés de prestidigitation modernes sont tout accordés à notre impatience, à notre époque gavée de science, exsudant le cynisme. Mais ils ne devraient être intégrés aux métiers artistiques qu'après de fines précautions.

Les appareils dits de « traitement de texte », par exemple, ne favorisent guère les errements dont se nourrit le philosophe, les étourderies qui excitent le poète. Le mouvement est vertical plus qu'horizontal, c'est le mouvement d'une chute plus que celui d'une lecture. Les cristaux amènent l'œil sans tarder au final de l'ouvrage. Rien ne demeure de ce griffonnage qui palliait, sur le papier, les absences de l'esprit, offrant un retour possible sur les réussites, les erreurs. Il y a amitié immédiate, aujourd'hui, entre l'outil pourvu de sa propre mémoire – de sa propre *intelligence* ! – et la main laissée libre de s'emballer.

*

Francis Ponge nous fait penser à un cuistot qui n'aurait pas apprécié qu'on le relègue aux cuisines – ces pièces carrelées, bruyantes, aux surfaces polies par le néon – et qui ferait, là, un boucan du diable avec les casseroles, les cuillers pour exprimer sa frustration. Mais ce qu'on trouve du côté calme des portes battantes, une fois le plat posé sur la table, c'est un goût pour la surcharge, une trop grande richesse d'assaisonnement qui gâchent, en vérité, le peu de tremblement dont un amour ou un mimosa sont capables.

*

Hugo, comme on sait, se rend à tous les excès de son époque, il dépose les armes devant tout ce qui porte le visage (le masque ?) de la passion. Il annonce en cela le sculpteur Rodin qui le suivra à peu de pas dans la notoriété et qui portera, lui aussi, les insignes de la grandeur officielle. Hugo et Rodin, une fois leur réputation établie, choisissent leurs motifs suivant des raisons dont on peut soupçonner qu'elles n'ont plus grand lien avec la liberté de l'art. Chez l'un comme chez l'autre, le style ne tarde pas à pousser jusqu'à la surenchère, le chagrin – que Verlaine montre sans s'appesantir, qu'Apollinaire porte jusqu'à la lancinance – atteint au gémissement, les partis pris tournent à la dénonciation... Tout est encombrant, gros, dissonant comme au théâtre. Le poème de Baudelaire « La beauté », par exemple, Rodin en a fait un bronze qui porte les quatre vers célèbres en cursive sur la base :

Je suis belle, ô mortels ! comme un rêve de pierre,
Et mon sein, où chacun s'est meurtri tour à tour,
Est fait pour inspirer au poète un amour
Éternel et muet ainsi que la matière.

La sculpture montre une femme nue, bien tournée, le pubis collé au visage d'un homme qui la tient à bout de bras, comme prêt à la renverser ou à la lancer au loin comme une enfant de cirque. On remarque le galbe de la poitrine, celui des fesses, les replats mordorés, toute la fine joaillerie de l'érotisme. Mais les « purs miroirs », où sont-ils ? Où sont les « yeux aux clartés éternelles » dans ce festin de chair, dans cette curée de lasciveté ?

Il faut admettre qu'un peu d'air passe, oui, dans ces œuvres massives dont les angles ou les contours en imposent. Mais c'est là où le quatrain ou la pièce de bronze semblent mal équarris, où le matériau en train de se dissoudre a échappé à la surveillance de l'artiste. Il manque généralement, chez Rodin comme chez Hugo, ce quelque chose de haletant, de troublé (comme au chien soudain libre de sa chaîne et qui va au petit bonheur, avec un flair toutefois qui l'aide à trouver son chemin).

*

Nul ne fera à la poésie le grief de l'insincérité, sauf à celle qu'on a investie (par ambition ? par mégarde ?) d'une force plus grande – qui serait, dans le cas d'Hugo, l'orgueil.

*

Giacometti, c'est du Rodin qui a trop cuit.

*

Lautréamont est-il autre qu'un Chateaubriand qui se serait pris, par endroits, à éructer dans sa prose ? Voyez la syntaxe : les avancées et les replis de la vague de mots, l'éclaboussement annoncé par les points de suspension, saisi par l'exclamation – puis encore, comme inflexiblement, la mer qui se trame et se détrame…

*

On comprend l'effroi du lettré « amateur de publications courantes » devant l'œuvre de Mallarmé. Il y a là, en effet, une bête qui livre ses entrailles. La syntaxe poétique n'est autre qu'un squelette que seuls les habitués de la dissection – qu'ils soient médecins, bouchers ou égorgeurs – peuvent regarder sans broncher. Rien qui vive, rien qui pétille ou qui s'amuse là-dedans. Mallarmé produit des *armatures*, ce qui permet la vie mais n'en porte pas les signes. On pourrait avancer l'hypothèse que le poète d'*Igitur* établit en poésie l'équivalent du DOS en informatique, cette espèce de grammaire fondamentale et interdite aux profanes.

Saint-Pol-Roux, Supervielle, Jouve proposeraient plus tard, se fondant sur cette structure nécessaire, un système à fenêtres, un verbe qui soit plus proche de la chair et du vêtement simple de chaque jour.

*

Valéry prend pour poésie le simple fait de finasser un peu plus qu'à l'ordinaire avec la syntaxe : rejets, inversions, reprises – la virgule crochetant une apposition pour la remettre, plus loin, à son sujet –, l'allitération au rythme de triples croches (« amas doré d'ombres et d'abandons », etc.), le tout ordonné sur une musique qui tient de l'orgue à manivelle. On croirait se promener sur l'herbe conquise, entre les grilles d'un square (très) français, loin des jardins hirsutes, des allées surprenantes qu'affectionnaient les poètes maudits, les zutistes, loin des parcs bourrés de fruits ou de bizarreries que connaîtront Apollinaire, Cendrars, Perse. « La virtuosité apparaît avec le vide », dit Philippe Jaccottet…

On songe à ces jardinets de banlieue, adossés à la nature sauvage et qui gagnent peu à peu sur elle. Valéry serait ce banlieusard – issu de la ville, inquiet devant tant d'espace récemment cadastré – qui, muni de son croc à défricher, de son sac à herbe, de sa binette, gagne sur l'inconnu, par petites conquêtes célébrées ensuite dans des tableaux parfaits.

Valéry produit des *victoires*, un peu comme fait Proust avec ses phrases en robe du soir. Mais Proust n'oublie pas la fleur dans son parfum, ni la rivière dans sa luisance. Ici, il y a loin du rapport simple à l'univers que connaissent les hommes de la terre – et qu'ont su reproduire des poètes tels René Char, Georges Schéhadé, Gaston Miron. Valéry évolue dans une sorte d'ambiguïté invincible, sciemment entretenue, où apparaissent comme des curiosités autant les échappées vers le haut, ce qu'on appelle des *trouvailles* (« marbre tremblant », « spacieux silence », « le fruit se fond en jouissance ») que les oublis ou renoncements qui causent des échappées vers le bas, ce qu'on appelle la *prose* (« Une esclave [...] change l'eau de mes fleurs »).

*

Parlons un peu de ces tables sans emploi, de ces téléviseurs tonitruants, excréments humains, viscères scellés dans du plastique ou femmes en forme de bougies dégoulinantes qu'on voit exposés dans nos musées d'art contemporain. Le démiurge dont le nom paraît à côté de ces pièces n'aurait sans doute pas, pour se justifier, une explication différente de celle que donnait Mallarmé pour légitimer ses écrits. Il veillerait à se soustraire, en vérité, à toute forme d'explication au nom de la souveraineté de son œuvre. À propos de sa table bancale, par exemple, recouverte de peinture crayeuse et supportée en sa partie la plus lourde par un renfort de briques grossières, l'artiste dirait qu'elle ne renvoie à rien d'autre qu'à elle-même, qu'elle est une représentation originale qui *s'ajoute* aux éléments de la nature. Mallarmé enseignait, de fait, que la poésie doit réfracter le réel ; il disait aussi qu'il faut s'en remettre à la forme en tant qu'elle produit du sens. Ami des peintres et des musiciens, le poète avait tôt réalisé l'ingratitude des mots et, par son travail, il souhaitait reproduire le bonheur délié et cependant toujours cohérent de la musique. Le fait, pour lui, d'appeler une fleur « fleur » était un moyen sûr que l'objet disparût de notre esprit, comme les fleurs des plates-bandes ont tôt fait de s'effacer de la mémoire. La poésie seule devait garantir la virtualité de cette fleur, la porter au jour en lui conservant tous ses pétales. Il fallait éviter les mots « de la tribu », défaire, abolir les apparences, puis recréer de toutes pièces l'objet dans le domaine absolu de l'art. La fleur étant tue, le lecteur la retrouverait intacte même à la centième lecture.

Mais revenons à la table. Le fait de détourner un objet de sa fonction d'origine suffit-il à créer du sens ? La première utilité d'une table ne risque-t-elle pas de revenir promptement à l'esprit du visiteur de musée, malgré les commentaires soigneusement obscurcissants du guide ? La fleur du poème devait être suffisamment *non-fleur* pour que l'imagination, justement, aille vers elle. Mais où va-t-on, ici ? On peut être intrigué, interpellé à juste titre par des maquettes volantes, systèmes planétaires qui s'activent dès qu'on pose le pied à côté (attention, la tête !), par des téléviseurs où l'affreux le dispute à l'inécoutable. On peut prendre un certain agrément à regarder une table qui soit débauchée de son usage ordinaire. « Les facultés d'homologation de l'intelligence et de l'imagination sont presque indéfiniment extensibles », nous rassure Roger Caillois qui, du même souffle, nous met en garde contre les excès surréalistes. Mais encore les plaisanteries de Marcel Duchamp, les dessins d'aveugle d'André Masson étaient-ils tenus pour des excès. La confusion est telle, en notre époque publicitaire, qu'un artiste n'est plus considéré (rétribué ? récompensé ?) que s'il se livre à de pareilles « installations », à de pareils « happenings » qui seuls témoignent de sa « sensibilité postmoderne ». Combien sommes-nous à croire que ces expériences ne demeurent profitables que dans la mesure où elles soulignent la nécessité d'un art qui ne tient pas de la fulguration ? que les salles des musées devraient être requises d'abord pour ce qui chemine lentement dans l'âme, proche du souffle qui éclaircit et de la main qui examine ? que les mouvements d'impatience ont une place meilleure en publicité ?

*

Ce que l'on monnaye, aujourd'hui, ce n'est plus le privilège de s'approprier lentement, petitement, ce que d'autres ont négligé du fait de la paresse ou de l'aveuglement ; cela même qui a porté, en une autre époque, le nom de *culture*. Ce que l'on achète, par l'entremise des médias rapides, c'est du *temps*, un bref laps de temps qui est la seule royauté, désormais, sur ceux qui ne sont pas dans le coup. La noblesse de l'artisan a cédé le pas à la force du crieur.

*

C'est un résultat ordinaire que la pensée, à l'une ou l'autre étape de son développement, rencontre sa contradiction, ce qui équivaut à dire que le raisonnement pour lequel on a compromis sa neutralité, inventé des hypothèses, éprouvé bon nombre d'arguments, ne tient plus. Les sciences exactes n'offrent, évidemment, aucune échappée en pareilles circonstances, aucune possibilité de glissement jusqu'à l'autre côté de l'obstacle. On se voit obligé de constater l'impasse, pour la désignation de laquelle il existe même des symboles. On dira par exemple, en mathématiques, que l'équation $x^2 = -1$ est impossible (*i*), puisque la multiplication d'un nombre par lui-même ne peut se résoudre en une solution négative. Le littéraire, pour sa part, n'a comme algèbre, pour distribuer les opérations, réduire les données et communiquer les résultats, que la langue, avec ses conventions troublantes, ordonnées à la diable, constamment remises en question. Ses avancées les plus ambitieuses étant fondées sur de l'arbitraire, du contestable, peut-être de l'éphémère, il est tentant, pour un penseur, de relâcher parfois sa surveillance et de se laisser continuer *sur l'erre*, l'espace de quelques digressions. La précision lexicale le cède alors à la suggestion, les raccords tiennent de la correspondance baudelairienne, l'auteur en vient à soupçonner sa pensée plus qu'il ne la maîtrise. Mais nous l'accompagnons tout de même. À défaut d'arrêter les contours du paysage, en effet, il nous a conduits là où il le voulait, puis aveuglés, ce qui suffit, un temps, à contenter l'esprit.

*

J'appellerai architecte celui qui, avec une raison et une règle merveilleuse et précise, sait premièrement diviser les choses avec son esprit et son intelligence, et secondement comment assembler avec justesse, au cours du travail de construction, tous ces matériaux qui par les mouvements des poids, la réunion et l'entassement des corps, peuvent servir efficacement et dignement les besoins de l'homme. Et dans l'accomplissement de cette tâche, il aura besoin du savoir le plus choisi et le plus raffiné.

Leon Battista Alberti

*

Cet aveuglement auquel consentent les parties, lecteur et écrivain, on ne peut l'expliquer autrement que par la nature curieuse de l'homme, qui lui commande d'aboutir coûte que coûte, de remonter des effets jusqu'aux causes en ne laissant rien d'inchoatif ou de brouillon, même si le tout implique une part d'imposture ou de duperie. Les essayistes, les philosophes n'ont pas tous la même humilité à reconnaître le tassement et, plus tard, le scellement de leur pensée – le crépuscule de la promesse qui avait donné lieu à l'écriture. Le peintre de Lascaux, dans cette conjoncture, s'était rabattu déjà sur l'initiative de décalquer sa propre main, signe de ce que la fascination pour l'outil est un fait de toutes les époques, quand l'esprit souffre une manière d'éclipse. Aujourd'hui encore, on n'hésitera pas à prendre l'outil par la pointe plutôt que par le manche afin de relancer l'inspiration. C'est le briquetier qui veille seul à l'élaboration de l'œuvre, jusqu'à ce que l'architecte étourdi, égaré, recouvre ses sens – peut-être éveillé par l'office même de l'autre – et reprenne la conduite du chantier.

*

Il arrivera que le philosophe ou l'essayiste, rompu à cet art du briquetier, sache ménager une dialectique très finement cousue, juste assez conséquente pour qu'on ait l'impression – l'illusion – de la gravité. Le lecteur, hypnotisé par la tiédeur du style, se laissera alors étourdir, confondre par le nombre et la diversité des arguments, au point de n'en plus remarquer l'incohérence. Le penseur féru de mots d'esprit aura donné à ses phrases le tranchant d'une sentence ; le crible de la logique l'aura laissé à des humeurs, des impulsions. Combien y a-t-il de ces essais, de ces gloses où le sujet n'est pas vraiment interpellé pour son intérêt, mais parce que cette interpellation même – le seul fait qu'une voix *autre* paraisse au sein du raisonnement du glossateur – a valeur de caution pour celui-ci ? Ce procès du particulier vers le général apporte une résolution facile lorsque le procès inverse, du général au particulier, achoppe, faute d'exemples. L'architecte, ici, s'en remet résolument au briquetier. On incline l'œuvre à l'étude suivant une idée qui s'élabore chemin faisant, chaque paragraphe de glose n'étant plus qu'une avancée arbitraire à partir de citations choisies pour la circonstance. Quelques conjonctions de belle venue achèvent de donner à l'ensemble une apparence de structure et de mouvement.

*

Il n'est pas exagéré de prétendre que la seule publication d'un ouvrage confère de l'intérêt, et peut-être même de l'importance, à un texte au demeurant médiocre. On ne saurait négliger, en effet, la séduction qui procède de la simple reliure d'un texte, sa disposition en paragraphes proprets et réguliers. C'est le plaisir alors de toucher un objet luxueux, la satisfaction de reconnaître une symétrie dans les formes, un équilibre dans les proportions, qui remplacent le prestige délicat de la poésie. On avance dans l'ouvrage même s'il est laborieux ou tarabiscoté, même quand la fatigue se fait assommante et que les mots trahissent. On se rend jusqu'à tel chapitre donné pour terme et pour défi. Mais que de bouquins on pourrait réduire, si l'on en retranchait les passages vagues, échos ou bourdonnements, si l'on en retranchait surtout les endroits où ce vague fait signe d'une profondeur qui n'existe pas !

*

Rares les critiques, littéraires ou philosophes, qui peuvent nous amener à croire, avec l'équivoque outil du langage, que leur idée existait depuis toujours – et qu'ils n'ont eu à leur mérite que d'avoir posé les yeux dessus ! Ceux-là ne méprisent pas leur égarement, ne tâchent pas à le camoufler, mais plutôt construisent dessus. Ils deviennent, selon l'expression de Maurice Blanchot, « non pas l'œil étranger qui juge, jauge, définit et supprime ce qu'il voit, mais la chose même augmentée d'un regard ».

*

Des « raisonneurs si communs, incapables de s'élever jusqu'à la logique de l'absurde » (Baudelaire). Soulignons, une fois encore, combien la tâche est plus facile à ceux qui ne se bâtent d'aucun scrupule. Les porte-bannières, les dupeurs d'oreille, les rimeurs se contentent de permutations et d'assemblages d'idées, de revirements et de caprices, pour aboutir à des conclusions dont le mieux qu'on puisse dire est qu'elles sont oubliables. On hésite à questionner, pourtant – un peu comme on hésiterait à aborder une femme que l'on juge trop belle ou trop jeune. Les auteurs sont trop heureux d'entretenir, quant à eux, la méprise, alléguant que leur « œuvre » est souveraine, incomparable : un arbre d'une essence singulière, détaché du reste de la forêt…

*

Le meilleur théâtre est celui qui sait, par-delà les aléas de l'intrigue, poser le problème de la représentation – comme aussi bien toute grande poésie comporte en abyme un questionnement sur la poésie. Mais les contraintes particulières au théâtre, il faut l'avouer, empêchent le dramaturge de parler pour lui seul une langue étrangère, comme le font la plupart des poètes aujourd'hui, sans plus même qu'on y prenne garde. Un créateur étriqué dans les impératifs de la scène : tel est le dramaturge. Phare, il ne doit pas ramener à la berge que des vaisseaux fantômes, des épaves hallucinantes, ainsi que les poètes ne se gênent point pour le faire. Il lui faut établir une sorte d'amitié souveraine entre son public et la nature profonde de chaque chose, mais s'il ne consent, du même coup, quelques broderies ou mensonges, un sourire aux particularités de l'époque, il risque de dépasser cette mesure de prudence hors de laquelle le lien qui l'unit à l'auditoire se rompt. Un monde imaginaire doit paraître, mais aussi rester ouvert, disponible, hospitalier. Chaque réplique doit ouvrir une porte sur la suivante, mais aussi laisser passer un peu de ce souffle qui intéresse et fait avancer le spectateur.

Quant au public, ce qu'on attend de lui, c'est une confiance absolue, une sorte d'aveuglement devant le praticable des apparences... La nature ne fournit-elle pas, au reste, bon nombre d'exemples de ces curiosités qui requièrent d'abord une confiance absolue, pour nous repayer ensuite, en récompense de cette confiance, de gratifications inattendues ? Qui n'a jamais constaté combien un paysage prend figure aimable et harmonieuse à travers une lunette déformante, teintée ou légèrement convexe ? N'est-il pas étrange, alors, que l'observateur, conscient de l'aberration, l'accepte néanmoins et qu'il aille, séduit, vers elle ? Est-ce au nom de la Beauté, conquise à la faveur de cet artifice ? S'agit-il d'un simple attrait de la nouveauté ? La grandeur d'un écrivain se mesure à ce qu'il aura su amener son public à embrasser cette sorte d'aberration, à élire cette vue discriminatoire sur les choses – mais s'arrêtant, aussi bien, avant que le mensonge ne confine à la mystification.

*

L'arbre ne fait qu'ébaucher le fruit. C'est la lumière qui le réalise. Le bon dramaturge n'enlèvera pas au public sa part d'intuition particulière et d'imagination vivifiante.

*

Qu'on pense au vide parfaitement dessiné, à la mesure serrée de la mortaise avant qu'elle ne soit occupée par le tenon : lecteur et écrivain ont des rôles complémentaires apparentés à ceux du tenon et de la mortaise. Le texte n'est qu'un mortier qui les tient l'un à l'autre. Le mortier n'a pas à être plus fort que ce qu'il tient.

*

Le surréaliste veut *passer* : passer le courant, passer en courant. Sa foulée est la plus longue, nul n'en discutera – tout paraît lent après sa performance – mais l'écriture littéraire n'est-elle pas, aussi bien, comme ces courses aux hippodromes où le jeu des handicaps équilibre les chances ? À tout miser sur le favori, pour le gain rapide, le surréaliste ne choisit-il en vérité – contre ses précautions théoriques, ses présomptions expérimentales – de gagner moins au bout du compte ?

Surréalisme et *fornication* : les amants ne sont jamais liés que par de vagues promesses de sens… Il y a bien, oui, les mots qui « font l'amour », mais combien peut-on tenir quand le sens presse ? Et ces secousses, cet écrasement qui viennent au final de l'amour, veut-on *vraiment* les faire partager à un lecteur qu'on vient à la minute de connaître ?

*

Au sujet d'un prosateur qui écrit trop, on dira qu'il pratique l'éloquence, qu'il fait des phrases, et l'on ne se trompera pas généralement à reconnaître, dans ce jugement, l'insulte qu'il représente. En domaine de poésie, on pourrait dire aussi bien que certains auteurs « tournent des mots ». Éluard, par exemple, ce brillant assembleur de syllabes, il lui arrive, dans ses recueils d'après-guerre, de marcher plus loin que son pas, de parler, pour ainsi dire, « à vide », halluciné par des promesses que lui seul connaît – et dont à peine il livre des indices, des approximations rêveuses.

*

Phrases bien trouvées, agrandies, étoilées, du fait de quelque curiosité de syntaxe – ou de quelque épithète inattendue, posée là comme le doryphore tombe sur tel brin d'herbe exactement. Pourquoi, se demande-t-on, ce brin plutôt qu'un autre ? On se perd en analyses, l'insecte envolé depuis longtemps.

Après coup, le tassement, le prodige. Phrases devenant légères. Phrases lavées à grande eau...

*

Et que le ciel soit misérable ou transparent,
On ne peut la voir sans l'aimer

Quand Paul Éluard décrit le ciel comme étant « misérable » ou « transparent », il a raison contre la raison même, c'est-à-dire contre tout ce dont tâchent à nous convaincre les dictionnaires, à savoir notamment qu'un ciel ne peut connaître la misère. Mais que penser de ces ciels de risée légère, où toute chose va soudain à sa plus simple vérité, à son plus simple sourire ? N'est-ce pas une risée de cette sorte, n'est-ce pas une « transparence » de cette nature – abstraite, impossible – qui accompagnent chez lui le spectateur de théâtre ? Ne peut-on soutenir que l'intérêt d'une pièce procède moins des faveurs de l'anecdote que de l'*impression* laissée par la poésie, cette vibration particulière de chaque chose ?

*

On pourrait établir que le fait de s'en remettre à l'ordinaire du langage équivaut, d'une certaine manière, à ne compter que sur un seul doigt de la main : cela *n'illustre* rien du tout. Même si le compte des chiffres y est, il ne tarde pas que l'on perde l'intelligence « organique », « spatiale » du propos. Montaigne déjà, en bon poète, comptait sur tous les doigts, il avait compris la vertu d'un langage figuré, parsemé d'emprunts aux domaines de la chasse, de la guerre ou simplement de la cuisine quotidienne. Ainsi pouvait-il, au détour d'une phrase abrupte et pleine d'ornements, par la grâce d'un seul mot imagé, rétablir une intelligence facile de son propos, l'équivalent du pied de nez pour l'insulte ou de la poignée de main pour l'amitié. Leçon aujourd'hui peu suivie (surtout, curieusement, par les poètes).

*

Quand René Char écrit : « La sauterelle claque et compte son linge », aucun dictionnaire évidemment n'est secourable pour expliquer ce claquement, ce linge. Il s'ajoute seulement aux actions ordinaires des sauterelles – celles de sauter entre les jambes des marcheurs, de causer des maléfices – le fait, pour elles, de « claquer » et de

« compter leur linge ». Certains prétendront déjà qu'un claquement de pattes se conçoit, mais c'est d'un bruit alors qu'il sera question (celui de la cigale, qui produit bien son chant avec ses élytres ?) et la phrase ne le spécifie pas. Et, du reste, comment être sûr qu'il s'agit de *pattes* qui claquent ? Et ce verbe « compter » ? Veut-il évoquer le mouvement d'un insecte qui porte les membres à ses mandibules ? Et le linge ? Rien à faire, l'explication ne viendra ni par le dictionnaire ni par quelque réminiscence fortuite ou trésor de culture qui nous prêterait l'indice d'une signification. Il faut voir ailleurs, mais où ?

Notre compréhension du lexique, de la syntaxe est le résultat, comme on sait, d'automatismes acquis. L'habitude – et la paresse – s'occupent de faire passer les réticences. Mais le poète sait qu'il existe des mots qui disent plus que leur sens usuel, des mots qui ne boudent pas dans leur coin en attendant d'être désignés, qui n'ont pas besoin de l'affluent des métaphores. Ils portent déjà en eux une certaine qualité, non point de description, ce qui serait mimétisme, mais, mieux encore, de décision. Certains vocables seraient plus que d'autres « appel, suggestion, initiative » (Jean-Claude Mathieu) ; il en irait de leur charme comme de celui de certaines pierres ou métaux précieux. Ainsi l'or, par exemple, ce n'est peut-être pas sa brillance ou sa rareté qui nous le rendent si cher, mais *quelque chose* qui participe de cette rareté, de cette brillance, que l'on attache aux épaules de l'amoureuse ou que l'on passe à son doigt, à l'heure des promesses.

*

La poésie, de tous les genres d'écriture, devrait le mieux fournir l'exemple de la « sincérité », de cette sorte de rayonnement qui part d'un centre invisible mais pressenti. Après tout, qui ne dira que le poème partage avec la prière une certaine qualité liturgique, une vérité canonique ? Il est vrai qu'on ne s'encombre plus, de nos jours, que de liturgies ponctuelles et de peu de portée. Même la mort n'attire plus, comme au temps des familles, la résolution dans la gravité, le sentiment d'un arbitrage : plus de formules qu'expéditives et impersonnelles, puis on se départ sans tarder de cette chair qui bleuit.

*

Certains pourront préférer les lectures au long cours aux livres qui ressemblent à des écrins. Pour ceux-là, il se trouvera toujours des auteurs excellents qui savent ménager un désir avant l'étreinte, une attente avant la résolution, et qui font avancer, par ces astuces, le lecteur de chapitre en chapitre, dans un emportement tel qu'il n'ait pas à *retenir* sa lecture afin que l'œil se pose sur toutes et chacune des pierres du chemin. Mais à ceux qui veulent atteindre les choses sans tarder, qui sont plus intéressés à restreindre leur attention qu'à la répandre ; à ceux qui s'interdisent les effets prévisibles, exubérants, flatteurs, il leur faut un œil bien ouvert aux détails comme ceux qu'on évoque ici. « Vous serez une part de la saveur du fruit », dit René Char…

*

On sait que de nombreux poètes mènent une vie extravagante, comme si le tremblement au bord des contingences était fondateur de leur poésie. Peut-être, travaillant à n'être plus que désirs, excès, impulsions, souhaitent-ils se dissoudre dans une expérience radicale – afin de pouvoir mieux ensuite parler avec détachement ? Mais l'extravagance est assortie souvent d'une tendance, pour le poète, à n'utiliser que des mots prudents, comme si, en définitive, une part du mystère refusait de poindre. Il y aurait un rapprochement – ou plutôt une différence – à établir entre, d'un côté, les souvenirs de l'amour, tels que consignés dans les journaux intimes (initiales mystérieuses, aveux de petites violences, humiliations...) et, de l'autre, le poème – impudique, brutalement significatif, mais qui renvoie à une vérité indémontrable ou trop surplombante. Le mystère exprimé de but en blanc ou les épanchements qui laissent des passages douteux : dans les deux cas, la pudeur est sauve.

*

Qui dira, aussi bien, que les journaux intimes sont autres que des prétextes – idioties sur la pluie et le beau temps, éphémérides sans surprises – pour atteindre au plus vite au récit de nos caprices, fouteries et autres entreprises inqualifiables ? Comme les poèmes, les journaux intimes sont la mise en pages de certaines expériences qu'il ne profiterait à personne de divulguer, mais qui nous attirent néanmoins avec toute la force d'une passion. C'est le seau qui plonge au noir de l'esprit, qui en ramène des convoitises insoupçonnées, des entrechats peu avouables. Aussi avons-nous recours, dans les passages capitaux, à une langue spéciale, qui parle et ne parle pas ; les mots étranges, les combinaisons impossibles sont les premiers à venir s'attabler avec celui ou celle qui touche à des détails qui tiennent de la confession. Le code n'est plus alors qu'un recueil d'indices – quelque chose d'inchoatif, de brouillon – que les inspirés ont tôt fait d'outrepasser dans leur quête de l'équivoque et de la discrétion.

*

Celui qui note n'incline pas son sujet suivant une pensée préconçue ; du reste, elle n'existe pas. Sa *limite*, ce qui lui commande d'interrompre, puis de circonscrire, tient à une couleur, une vibration qu'il ne saurait apprécier que dans l'instant.

*

On oublie aisément que les dictionnaires sont élaborés par des êtres de chair et d'os, amoureux de leur langue et qui tâchent d'en fixer l'usage suivant l'arbitraire qui leur paraît le moins compliqué. Geôliers d'une prison bâtie depuis plus d'un millénaire, mais dont quelques marginaux inspirés possèdent également les clefs : tels sont les grammairiens. Prétendra-t-on que les geôliers connaissent mieux la geôle que les détenus ? Pourra-t-on, par exemple, reprocher à l'adolescent Rimbaud d'avoir commis une impropriété – parce que son arbitraire n'était pas conforme à l'arbitraire établi par d'autres de son étoffe ? Lui en voudra-t-on d'avoir toléré un solécisme, quand c'était, à la fin, pour agrandir le « territoire » de sa langue ? quand il s'agissait d'explorer au-delà des tranquilles guérites ? « Que salubre est le vent » : comme ce « salubre » nous fouette le visage ! Et comme, ensuite, les formules courantes (« le vent est doux », « le vent peigne les nuages ») ou trop résolument littéraires (« les vents alizés inclinaient leurs antennes [des navires] » – Heredia) nous semblent d'une triste venue !

Cela dit, on se doit d'apprécier le courage – et l'impudeur – des gardiens de la langue, qui font ni plus ni moins métier de s'observer en train de faire l'amour, pour rendre compte ensuite des détails de l'opération. Eux n'ont pas, en effet, les mensonges du roman ni les excuses de la métaphore pour se donner de l'ombre. (Aussi bien, on conviendra qu'il est nécessaire que certains s'y connaissent en fait de tuyaux, si l'on souhaite que l'eau se rende jusqu'aux fontaines…)

*

La persistance rétinienne crée un délai avant la perception d'une image par le cerveau ; il y a, pour ainsi dire, une limite quant au nombre d'images que l'œil peut goûter séparément. Au-delà de vingt-quatre images à la seconde, l'œil ne voit plus que du mouvement dans les épreuves successives qu'on lui présente. Ainsi va la grammaire du cinéma. De même, nos discours se font oublier pour que la personne qui écoute ne perçoive plus que l'idée, et non la mécanique des phrases qui s'emboîtent les unes dans les autres. Mais que penser de quelqu'un qui surveillerait de si près son expression que son idée s'en trouverait comme noyée ? On dirait qu'il parle à douze images-seconde : tous ont compris son propos depuis longtemps, on a déduit le point d'arrivée de sa pensée par la direction des premières phrases, voire des premiers mots. Mais il s'acharne quand même à expliquer, à déterminer, à souligner. Ce travers, on l'aura noté surtout chez les linguistes qui craignent plus que d'autres, peut-être, les trahisons de l'idiome, qui anticipent ses manques, ce qui les fait s'exprimer *au ralenti*. Il y a loin des poètes, de l'amoureuse confiance qu'ils ont en leur langue.

*

On s'attend en tout pays à ce que l'interrupteur principal pour la commande de l'éclairage soit placé à droite de la porte par laquelle on vient d'entrer, à cinq pieds environ du sol. C'est, en quelque sorte, la part de communication qui repose sur un accord collectif, la part de logique inhérente à l'aménagement de toute maison habitable. Personne ne veut avoir à marcher dans l'obscurité jusqu'à une lampe de chevet ou une applique et essayer de l'allumer en actionnant tout ce qui ressemble à un interrupteur. De même il y a, en toute langue, une nécessité qu'on pourrait qualifier d'organique de rendre la communication aussi simple et aussi efficace que possible. Il y aurait des structures syntaxiques qui précèdent l'homme dans le langage comme il y a des conventions pratiques qui précèdent le touriste arrivant à sa chambre d'hôtel de Bangkok. On n'ira pas jusqu'à évoquer le râle préhistorique qui représenterait l'équivalent de la bougie s'accordant avec le souffle. Mais on peut apparenter la plupart des premières entreprises de structuration : le verbe s'accordant avec son sujet, l'adjectif avec le nom, les modificateurs de sens, etc.

Les langues comportent aussi, par ailleurs, une part d'arbitraire liée à l'étymologie, aux habitudes locales, aux curiosités de l'évolution, et qui réserve la compréhension du code à un nombre plus ou moins grand d'initiés : ceux qui ont *appris* ce code. On pourrait alors rapprocher cet arbitraire de l'arbitraire des plaques à interrupteurs multiples. Rien qui ne procède d'une nécessité logique dans l'ordonnance des boutons : la communication, soudain, ne paraît plus si naturelle, convenue, pratique. Pourquoi tel interrupteur allume-t-il telle lampe et non telle autre ? Les oublieux, les insouciants devront réapprendre, à quelques reprises, la fonction de chaque interrupteur. Les malades les plus graves, ceux atteints de la maladie d'Alzheimer notamment, vont sauter les étapes et essayer de dévisser l'ampoule.

*

On a fait beaucoup de cas de ce que la poésie soit un art capital, ce qui a conduit certains à regarder de haut la chanson. On a pu affirmer, par exemple, que toute musique ajoutée à un texte fait comme un ornement de surcharge, un art étouffant un autre art, à la façon de ces vitraux dont Valéry disait que s'ils éclairaient une toile de maître, ils la faisaient toutefois disparaître dans un fouillis de couleurs. Mais il faut compter que la chanson a tout de même ses privilèges. C'est la souveraineté d'un État plus modeste, oui – quelque chose d'un peu répétitif, prévisible, où l'on dessine plus clairement les motifs que dans un poème. Mais une chanson familière qu'on entend pour la première fois dans une langue étrangère paraît plus ridicule que n'importe quel poème traduit, ce qui doit bien être la preuve d'une certaine cohérence – peut-être d'un lien irréfragable entre parole et musique ?

*

On peut apprécier la rondeur parfaite, connaître les aspérités de l'un et l'autre des galets d'une plage, mais la plage, elle, restera interdite à l'analyse, ouverte seulement à la promenade, comme le poème l'est à la lecture.

*

«La poésie ne rythmera plus l'action; elle *sera en avant*, etc.» L'effet de prémonition dont parle Rimbaud, ici, ce n'est autre que la reconnaissance, à chaque relecture d'un poème, de la vérité éternelle qu'il propose. Ce lieu commun, il n'est pas inutile de le reformuler parfois à hauteur d'homme.

*

Le poète, un orfèvre qui aurait perdu la mémoire du cercle et qui n'aurait gardé que le souvenir de la caresse – celle qui fait apparaître en creux le visage.

*

Celui qui est médiocre va s'élever juste suffisamment pour qu'on reconnaisse dans l'histoire qu'il est médiocre.

*

Les admirations frustres, comme jalouses, de la première heure ne sont souvent le fait que d'une paresse à ne pas vouloir tremper en d'autres eaux que celles déjà connues. L'âge et la lecture journalière, fervente, corrigent ce problème: on a bientôt de mieux en mieux raison de lire de moins en moins…

*

Il faut tenir serrée une part de la corde avant de lancer le tout au loin: autrement les fantômes, les bizarreries qu'on cherche à ramener risquent de s'enrouler sur leur prise, puis de partir avec elle à jamais.

*

Un mythe est une histoire qui existe *avant même* qu'on la raconte. C'est de la poésie sous verre, comme entre deux lamelles de laboratoire, et que l'on peut observer pareillement – avec le même émoi intellectuel – à n'importe quelle époque et partout à travers le monde (à condition que certains a priori éthiques, culturels, soient reproduits). C'est un bacille composé de vers et de personnages.

Aussi : on dirait un vêtement un peu lâche, levé par endroits sur une chose immonde. En pleine lumière, l'effroi (ou l'ennui ?) en viendrait à nous faire détourner le regard. Mais la poésie, cette pudeur du langage, prête un peu de pénombre afin de réduire les aspérités, accroître le mystère, afin que la rencontre forcée, inhabituelle, de contraires – puis leur résolution tout aussi inattendue – apparaissent comme allant de soi.

*

Les poètes nous ont offert tantôt un constat étonné du monde, un *écarquillement* servi par une syntaxe, une prosodie déréglées, fiévreuses (Rimbaud, les surréalistes), tantôt un *arrangement*, où chaque chose semblait au contraire rendue à sa vérité par le prestige d'une langue surplombante (Supervielle, Claudel). À partir de Baudelaire, certains ont, en outre, proposé une sorte de désinvolture dans l'étrangeté, montrant comme naturels les rites les plus fous (Lautréamont, Michaux).

*

Nos filles maigres, désabusées ou intransigeantes, sont à l'image de la littérature du XXe siècle : rien de commun avec les rondeurs, les « bibelots sonores », enfin tout ce que l'érotisme avait de précoce, d'exubérant, aux siècles passés…

*

Combien de ces poètes qui alignent les vers comme on descend les lattes d'un store, qui ne font que réserver, diviser la lumière en tranches de longueur inégale sur le sol ! Un plein rectangle de lumière qui s'étirerait sur la marqueterie, qui toucherait jusqu'aux passages les plus obscurs, les moins parcourus de la maison, combien de livres nous l'accordent ? En vérité, ils tiennent sur un seul rayon de la bibliothèque (le plus élevé, à distance prudente de l'humidité – et de l'insuffisance des autres livres qui occupent, beaucoup plus nombreux, les étages du bas).

*

Je lis jusqu'au premier blanc, puis jusqu'au deuxième, sans trop d'émoi ; au troisième, je me sens comme à l'écoute d'un bègue ; après quelques lignes, j'ai envie de m'évader moi aussi par ces fenêtres venteuses, faciles…

*

Est-ce que ce n'est pas le compte, même légèrement imprécis, des syllabes – est-ce que ce ne sont pas les rimes, même idiotes, qui donnent à la chanson ses quatre coins et son assise parfaite ?

*

« Notre esthétique consisterait à *préciser* le défi littéraire d'une écriture désarticulée (nouveau joual syntaxique) […] délictueuse dans sa grammaire, inopérante pour qui pense le présent comme le passé... » Si un auteur a de la difficulté à donner des idées qui soient vivantes, c'est peut-être son problème – pas le vôtre. Les idées ne sont pas une nourriture si indispensable qu'on doive se faire cryptographe pour les déchiffrer. Laissons cette assiduité aux archéologues et autres amateurs de momies.

*

Saint-Denys Garneau : un désespéré de province, un René poitrinaire dont l'outil ne lui permettait guère de rejoindre les noirceurs baudelairiennes. Sa prosodie est trop détramée pour représenter l'étouffement, trop légère pour signaler l'oppression. Sa « petite étoile problématique », il la veut poignante ; elle n'est, souvent, que laiteuse. Des passages évoquent bien, par endroits, un dérèglement pénible :

On lève les yeux ; l'ombre a bougé la cheminée
L'ombre pousse la cheminée
Les meubles sont tout changés
Et quand tout s'est mis à vivre tout seul
Chaque morceau étranger
S'est mis à contredire un autre

Mais ce rapport douloureusement précis d'une névrose s'achève – se dissout ? – en une chute qu'on dirait venue d'un La Fontaine peu inspiré, un La Fontaine amer, comme pris de migraine :

Où est-ce qu'on reste
Qu'on demeure
Tout est en trous et en morceaux.

*

On ressasse son chagrin dans la prose propice aux annotations, aux notes marginales…, on le dissout par le compte exact des syllabes et la franchise des rimes. Villon, Apollinaire, Queneau nous apprennent que le vers, par essence, se prête mieux à la drôlerie que le discours linéaire – donc qu'il conjure mieux les affections de l'âme. On triomphe de la mélancolie, ne fût-ce que de façon succinte, en la faisant rimer avec « ancolie » (Apollinaire) ; en la transperçant d'une césure : « Mais la tristesse en moi monte comme la mer » (Baudelaire) ; ou encore, plus crûment, par les rimes *vénal-anal* ou *juif-suif* (Darieu).

*

Gabrielle Roy au nom de poulie, de vieil acier se plaignant sur l'essieu. On songe à une charrette amenée à la ville avec ses atours d'un autre siècle – dépareillés, étranges, une fois dispersés sur l'étal –, émouvants à mourir.

*

Ce que prête le génie, n'est-ce pas la simple mais rarissime faveur de reconnaître, dans ce qui vient au fil de la plume, ce qui mérite d'être retenu en tant que piste, allée, voie possible ?

*

Dans quelle mesure un esprit est-il vraiment différent d'un autre, n'est-il pas que la *teinte* d'un autre esprit ?

*

Le poète avachi, altéré, son plastron souillé de dégueulis, qui fait entendre des mots crus parmi les bruits, puis une éructation : on dirait qu'il brise ses eaux, *laissant passer* quelque chose qui n'est pas de lui.

La vie courante des sédentaires

L'homme n'a pas sitôt goûté à la lumière
Que la brunante accable à la maturité :
On doit trouver sa vie qui tâtonne derrière...

Shakespeare

À quoi nos aubes sauraient-elles s'accrocher
Devant l'assaut brutal, ô folle roue des heures !
Si le chiffre ancien qui argente le rocher,
Si les battants de fer sont espèces qui meurent ?

Shakespeare

Il arrive qu'un homme ressemble à un carreau brisé et qu'il laisse passer, alors, la chaleur et le froid – et leurs souffles contraires. Il arrive que le rêve d'un homme se poursuive en lui, après même qu'il ait posé le doigt sur le pavillon de la lampe. Bientôt, ce n'est plus que l'un ou l'autre de ses sens qui le déroutent, mais tous ensemble divaguent et l'entraînent on ne sait où…

*

Les crimes de peu d'importance sont souvent le fait d'individus qu'on appellerait inconsidérément « monsieur » ou « madame » si on les rencontrait en bonne société, mais qui ont été, par un coup de sang à eux-mêmes inexplicable, submergés par l'émotion ou le fanatisme. Inutile d'insister sur ce qu'ils n'ont, en cette occurrence, qu'une imagination restreinte de la gravité de leurs actes. La justice punit moins, chez eux, la hardiesse dans la méchanceté qu'une sorte d'absence au monde, à laquelle peu sont invulnérables.

*

Que la peine capitale retranche en moyenne la moitié de la vie d'un criminel, c'est toujours la même action chromosomique qui pousse au délit ou à la délinquance. Y aura-t-il moins de malheurs si on élimine les criminels ou les fauteurs seront-ils seulement plus jeunes et, donc, mieux disposés à s'abandonner à leurs faiblesses ?

*

La serrure est la partie mal assurée, *infirme,* de la porte, qui dénonce toute sa fragilité. La jeune mère qui vient de faire claquer une porte vitrée, puis donne un double tour à la clef, ne se préoccupe pas de ce que sa sécurité ne tient qu'à un élément de lexique (« verrou », « marteau », plus *sûrs* que « chatière » ou « chambranle »…). Si le chambranle se met à battre, elle entendra de nouveau le pêne qu'elle a bien engagé, son esprit se promènera d'une issue à l'autre aux quatre coins de la maison, elle reverra la main poussant le loquet, puis descendant le crochet dans l'œillet métallique. Rien à craindre, se dira-t-elle, la pudeur de la porte protège la pudeur de l'occupant. Il n'est pas jusqu'aux magistrats, aux codes de loi qui considèrent comme importante cette pudeur de la porte, comme si les affamés ou les psychotiques allaient s'encombrer de prudence devant un vêtement – échancré de surcroît !

*

On ne dira pas mieux que Baudelaire le profit que de subtiles ébriétés peuvent amener à la conscience. Le paysage familier dont on s'imaginait avoir épuisé toutes les surprises, le voilà, à la faveur de quelque fumée, repris par une main charitable qui avive les couleurs, déplie les angles, ébouriffe les arbres que trop d'indifférence avait renfrognés. Un œil nouveau permet d'apprécier les choses comme sorties de leur coquille : les végétaux qui repèrent, puis distribuent la lumière, le dos des plaines qui s'allonge comme s'il allait quelque part de sa vie propre, la table familière qui prend un fini glacé pour les soins de la femme, rêche pour les apprêts de la mort… Plus tard, comme si une autre main, peu subtile, avait écrasé chaque émoi du paysage, on retrouve le lieu fade où l'herbe ou la neige – et le regard posé sur eux – sont de nouveau réduits à l'habitude.

Aussi : une excuse, une pudeur. Ce n'est pas moi qui ai écrit ces lignes, c'est cette tête déréglée par l'ébriété, cette main munie d'une clef souveraine…

*

Rêve du 16 décembre. C'est la cohue des fêtes. Un homme pousse la mauvaise porte pour entrer dans un grand magasin et aboutit dans les couloirs d'un immeuble à bureaux d'une autre époque, sombres – quoique légèrement plus vivants et comme mordorés dans le cercle des appliques. Sur le verre givré des doubles portes, il reconnaît le nom de nombreux collègues ou amis : S., M., L.-J. Curieusement, ces hommes et ces femmes à qui il parle tous les jours s'affairent au milieu du corridor, penchés sur des pupitres, avec la lumière qui leur fait deux lunes ocre aux épaules. L'obscurité, par ailleurs, s'explique par le fait que les fenêtres sont couvertes de lourds rideaux, gonflés d'ourlets, cachant d'autres rideaux de plus en plus légers. L'homme parvient à dégager l'une des ouvertures, juste à temps pour apercevoir la montagne qui s'évade dans une folie de lumières. Mon Dieu, les magasins ! s'avise-t-il, pensant aux achats qu'il avait promis de faire. Le voilà sur un quai de métro où les gens excités par l'esprit des fêtes se bousculent, s'accrochant les uns aux autres, ce qui crée de vastes remous dans la foule. Le train arrive.

Lorsque les portes coulissantes se referment, avec un

bruit souple, l'homme est dans un wagon très clair et parfaitement vide. Bientôt, une vieille dame qui sourit malgré elle, un enfant rond comme une bulle l'ont rejoint comme par magie. Les quais passent dans la lumière avec des noms de plus en plus surprenants, les signes cyrilliques remplacent l'alphabet familier. Le train accélère, dételé, avec des sifflements sinistres et une allure de croisé qui pousse devant lui la croix pour écarter les maléfices. « Mon quartier doit être hors de vue à cette heure », se dit l'homme qui a maintenant entre les mains tout ce qu'il se proposait d'acheter. Enfin, la course s'arrête au milieu d'un parc désaffecté, très sombre. On croirait qu'un cirque vient tout juste de s'y produire, qui aurait emporté tous les bruits, toutes les couleurs. L'homme se hasarde hors du wagon. Nulle rampe qui pourrait lui faire traverser la voie vers le train qui attend en sens inverse. Le voilà prisonnier d'une angoisse avec comme seule issue le train même qui l'y a amené et qui attend, patient dans le cynisme, pour le conduire plus loin encore…

*

Les instants dont une vie est composée n'atteignent à leur *réalité* que plus tard, par un ressassement dans la fiction. Là seulement peut-on rejoindre – questionner ? – cet œil intrigant qui nous mène.

*

Passée une certaine hauteur, une certaine éminence, la pédagogie cesse d'être, comme l'étymologie du mot le propose, le fait d'un individu : le guide prenant par la main l'enfant pour le mener à la connaissance. C'est plutôt une somme de voix familières et concertantes qui aménagent *en creux* un goût, une appétence – non pas de connaître, mais de *rejoindre*. La connaissance s'incarne, en effet, en des personnes qu'on voit enfin à hauteur d'homme, dont on commence de comprendre les conversations longtemps mystérieuses, dont on apprend, de proche en proche, les extases et les frustrations, et qu'on veut dépasser – pour gagner d'autres extases, d'autres frustrations ?

*

Il a la chevelure épaisse et bien répartie, les dents bien ancrées – quoique inégales –, il regarde les filles qui le lui rendent raisonnablement. Il connaît des choses qu'il lui serait assez inconvenant de répandre, à moins de passer pour un important auprès des simples et s'exposer à la moquerie. Démuni, questionneur, devant le spectacle du monde, il garde le silence, donc, sur ce qui l'habite, avec une âcreté de plus en plus naturelle, une sédentarité de garde-barrière... C'est sa seule passion qui l'excite et qui le récompense. Mais la brûlure de sa différence l'atteint un peu plus rudement, parfois. Oui, l'éloquence facilite la séduction dans les entretiens, l'estocade dans les prises de bec. Mais il faut compter aussi avec le *ressac* qui sévit, de temps à autre, et qui empêche alors de s'attabler aux choses, de les nommer chacune par leur prénom : l'ennui.

*

Les importants sont payés pour l'action, les subalternes pour l'attente. Ce qu'on appelle communément la *vie* est la somme des divertissements que chacun a inventés pour tromper cette attente : on ne s'étonnera pas que les importants s'en mêlent peu.

*

L'instinct de mort n'est pas une chimère, un caprice ou une imagination de poète nerveux. L'instinct de mort est ce qui interdit les attachements décisifs, ce qui trahit les projets irréalisables, ce qui force à reconnaître que les mots, toutes présomptions dissoutes, sont invalides et froids. Curieux paradoxe qu'il faille expérimenter le désœuvrement et la morosité pour donner des livres qui servent de médecine pour l'esprit.

*

Jours où l'on se coucherait littéralement dans une tombe, sans égard à ce que l'on referme la terre sur soi.

*

L'artiste ne fait pas grand cas de cette qualité d'« égoïste » qu'on lui inflige souvent comme une insulte. Son « égoïsme », il le sait, ne tient ni aux faveurs – qu'il ne se fait pas défaut d'accorder –, ni aux égards qu'il ne ménage pas à l'endroit de ceux qu'il aime. Mais il ne se confond pas en épanchements et en cordialités, ce qui suffit à faire de lui une énigme.

*

L'artiste se repose, mange, boit, rit avec ses pairs, mais ce ne sont là pour lui qu'activités secondaires, nécessaires à sa subsistance, propices à l'entretien d'une réputation à tout le moins convenable. En vérité, il n'est pas jusqu'aux vêtements de notre siècle qui le déparent. Vestons de tweed, chemises soignées, manteaux sans appliques publicitaires, au lieu de l'anéantir dans la foule ainsi qu'il le souhaiterait, lui font comme un déguisement. La cravate, quant à elle, il en perçoit l'hostilité à chaque fois qu'il se penche ou qu'il déglutit...

*

Qui dira la curiosité du veston, ce vêtement qui se porte soi-même, à tel point que, dépourvu de ses à-côtés – la chemise, la cravate, l'écharpe de soie –, il a l'air, collé à la peau, de manquer de décence ?

*

N'est-ce pas le rêve de tout homme que de posséder l'entièreté de trois ou quatre femmes et d'en jouer, en certaines circonstances où leurs volontés se fondraient à la sienne, comme de combinaisons de vêtements ? L'une qui le prendrait à bras-le-corps à la façon d'une veste étriquée, une autre l'enlaçant pour imiter la soie d'une écharpe, une autre encore et une quatrième n'étant là que pour le luxe du superflu, la combinaison des effluves – ou dont les baisers, peut-être, ajouteraient des boutons de parure...

*

On reconnaît à son œil ou à la sûreté de son mouvement qu'un homme s'adonne liturgiquement à quelque chose. Les poètes, eux, ont à porter, par surcroît, l'aigrette de la création, ce qui les trahit aux yeux de tous. Pour la discrétion, en effet, on conviendra qu'il y a loin de la pochette de soie ou de la rose à la boutonnière... Or, l'exercice de la poésie, bien qu'il commande le recueillement, n'exclut pas pour autant une certaine société – que l'aigrette en question rend difficile. Il faut peut-être voir là l'explication de ce que les poètes, de tout temps, aient tâché à camoufler cette particularité, que ce soit par l'entretien d'une chevelure abondante (Rimbaud enfant) ou le recours à une perruque bouclée (Racine). On pourrait évoquer aussi le béret de Prévert ou les lauriers des poètes antiques. Est-il besoin de rappeler le mot de La Fontaine, qui s'y connaissait mieux que personne en la matière : « Une tête empanachée n'est pas petit embarras. »

*

Ajoutons, sur une note plus sombre, que cette flamme jalouse ne semble s'accommoder que des présences les plus discrètes auprès du poète – celles, notamment, des livres ou des bêtes. Il faut peut-être y voir, cette fois, l'explication de ce que les poètes aient une longévité inférieure à la moyenne de même qu'un succès plutôt pauvre – précaire ? ponctuel ? – au jeu de la séduction. Certains auteurs astucieux, pour contrer ce dernier problème, auront bien tenté de ne jamais porter leur flamme que dans le regard. Mais on ne trompe pas longtemps une femme, même jeune.

*

Indéniablement, la femme aime que l'homme se dépense au-dessus d'elle, en lui soufflant de petits maléfices. C'est une attention qu'elle récompense avec sa bouche, ses mains, par tous les pores de sa chair que le désir enlumine.

*

Depuis la première soif du fond des âges, l'homme a cherché à rencontrer *L'*autre avec un grand *elle* ; toute fantaisie ou digression lui a coûté tantôt les remontrances de l'Église, tantôt les analyses des professionnels de l'explication. Le caractère éternel, immuable, de cette course des sexes l'un vers l'autre, Aristophane l'a expliqué plaisamment dans *Le banquet* de Platon. La séparation de l'humain en deux parties, disait-il, devait épuiser, au sein de cette race présomptueuse, l'énergie qui autrement aurait été employée à l'imprécation ou à l'émancipation. Les dieux imposaient ainsi aux mortels – mais cette contrainte était, aussi bien, un délice – l'adoration d'une foule de petites idoles à leur mesure, idoles humaines et, donc, elles aussi incapables de nuire.

*

Que les amants soient comme empêchés, perplexes, lorsqu'on leur demande justification, cela prouve que l'amour procède d'une raison qui les dépasse, comme *hiératique*. « Leur âme, évidemment, cherche autre chose qu'elle ne peut dire, mais qu'elle pressent et sait laisser entendre... » (*Le banquet*, trad. Philippe Jaccottet). Il s'agit bien, à l'église comme au lit, des mêmes formules récurrentes et de peu d'imagination, des mêmes prières, du même fétichisme. Bien sûr, la prière d'amour est apocryphe et individuée, adaptée à une circonstance particulière et pressante... Elle ouvre la voie à des jeux de pauvre hygiène, où les amants font preuve d'habiletés diverses dans cette quête de l'enthousiasme pas très honorable qu'ils atteignent (à peu près) en même temps. Longtemps avant que l'homme ait été confronté à la mort, ses premières implorations ne visent-elles, plus petitement, à le mettre sur le chemin de l'amour ? Avant aucune autre défaite, n'est-ce pas souvent une trahison de l'amour qui lui a fait lever le poing au ciel pour la première fois ?

*

L'homme n'a point encore trouvé artifice plus propice, langage plus opportun que la poésie pour reproduire le frisson de l'amour. Qu'on pense au néanderthalien qui appelle sa compagne avec une ou deux syllabes simples, immédiatement reconnues, et qui témoignent de ce qu'il connaît du prestige délicat de la poésie pour exprimer son attachement : un primate qui ne connaît rien des livres sait déjà qu'il faut se payer de mots en matière de séduction. De nos jours, pareillement, il faut une langue riche de nuances, pleine d'ombres et de bizarreries, pour se garder de la préhistoire. Celle-ci, en effet, est prompte à affleurer dans les yeux des amants, avec ses éclats de silex…

*

Est-ce un hasard si, au même moment qu'apparaissent les caractères sexuels ainsi qu'un certain goût pour la promiscuité, se développent, chez l'adolescente, une habileté pour l'esquive, une disposition pour l'équivoque ? À vingt ans, on accorde à la sexualité la même importance qu'à tout ce qui tient de la routine. On n'éprouve plus d'émoi, si ce n'est à l'occasion d'une circonstance particulièrement salée, quelque fétichisme ou rudoiement sous l'alcôve, une pratique interdite ou pressentie comme telle ; après quelques années de faste secret, le rideau se lève sur un petit peuple de phrases vides et de gestes qui n'ont rien que de machinal. Mais il faut observer le visage d'une gamine de treize ans devant qui l'on aurait laissé échapper quelque licence de propos. On voit se composer alors un égarement finement étudié : une fois que disparaît le pli du sourire, les yeux cherchent des sujets de diversion, les muscles du visage se préparent à mentir. Il faut taire (ou révéler, avec une pointe de malice…) ce qui est le plus grand secret.

*

Seins. On ne s'attendrait pas de cette chose ronde, caillée ou poisseuse, semblable à l'œil à demi ouvert d'un mort, qu'elle excite le désir de l'homme, encore moins qu'elle lui obtienne – après combien d'incitations ? – l'acquiescement de la femme.

Une fois les mots repliés, ce sont les seins pourtant qui ont rosi. Le reste est du même blanc impénétrable.

*

Ainsi la lumière s'empare-t-elle parfois d'une forme à la fenêtre pour la faire s'avancer sur le carrelage, d'une pièce à une autre, jusqu'à la dernière fatigue du jour. Ainsi l'herbe avance-t-elle précisément sur les prés, survolée par les oiseaux qui savent.

*

Quel mouvement par tout l'univers à frôler seulement du majeur – mais tu l'as étendu plus qu'il ne fallait pour saisir seulement un crayon – la paume fermée d'une adolescente au cœur friable.

*

Rêve du 9 juin. C'est une fin d'après-midi comme les autres, elle passe près de lui, parfumée, entre le chambranle et l'angle fermé de la porte. Il se met à imaginer des membres s'enlaçant depuis les paumes, des formes s'aplatissant les unes contre les autres avec ce petit bruit, à la fin, des lèvres qui se touchent.

« Venez le chercher », souffle-t-elle, à propos d'un peigne ou d'un ruban qu'elle feint de ne pouvoir atteindre sur sa nuque. Il lui saisit le poignet, puis son autre main descend le long de la taille, avec une maladresse qu'aujourd'hui encore il se reproche. « Est-ce que vous trouveriez ridicule de vous faire faire la cour par un homme… comme moi ? dit-il, n'osant prononcer : *de mon âge…*

— Vous n'avez pas à me faire la cour, répond-t-elle. »

*

La femme n'est-elle qu'une fleur qui urine ?

André Darieu

*

Que de noire vérité dans ces trois mots : « un autre homme ». Puis on fait sa connaissance et la vie se ressasse. Car c'est l'Homme générique, lexical, multiplié par les facettes nombreuses de la jalousie, qui fait mal. L'homme singulier, avec son lot de problèmes, ses habitudes idiotes – et cette femme dans sa vie qui se trouve être celle que vous aimez – on lui tendrait la main sans (trop) hésiter.

*

Le désir est tout aussi inexplicable, mais tout aussi péremptoire, nécessaire – comme *structuré* – que la disposition des grains épidermiques sur le corps ou que l'éparpillement des astres dans le vide, les uns comme les autres appelant, au demeurant, la même adoration.

*

Comme absurdement le vent voudrait déplacer un lac par petits plis, par légers renflements...

*

CŒUR *n.m.* (lat. *cor*). **I** – Sorte de poulpe qui attire, par le sang, les impuretés de l'organisme, puis distribue un liquide plus fin. **V. étoiles pures, alvéoles**. *« Les sorties désordonnées du bonheur, les désirs provoquent une plus ample oxygénation de l'organisme, les globules se dépêchant d'arriver aux organes et aux centres musculaires les plus sollicités. Mais le rythme du cœur est prompt à se rétablir. »* (Sophie Mottard) **II** – Ce qui devance l'homme et, parfois, le gouverne, dans ses transports et ses exaspérations. V. **adieux, brûlures**. *« Il y a de quoi se demander comment de simples signes écrits peuvent produire une piqûre sur le cœur et communiquer la tristesse comme s'il en allait d'un bâillement. »* (André Darieu).

*

Filles qui s'*envolent* quand on cesse de les regarder – et quand on les fixe même, quand on les serre du regard comme pour une embrassade, on éprouve un vertige tel qu'aux bords de l'ineffable.

Filles aux cheveux sombres – on dirait un glacé épousant la rondeur de la tête –, quand elles s'inclinent, les angles de la chevelure font un miracle de géométrie. Cela ressemble à de la soie, mais qui serait vivante : de la soie prise par un coin, mais par un coin seulement, à la réalité du monde.

*

Paris. C'est le rassembleur de moutons sur les hauteurs du mont Ida, le prince à la houlette dont les amours, à peine plus compliquées que les nôtres, ont amené les peuples à guerroyer. C'est aussi, dans une autre histoire célèbre, une obligation de mariage faite à une fillette de treize ans – avant que Roméo, du moins, moite de désir, cueille le fruit abouché à la branche et fasse essaimer, par cette faiblesse, des colères descendues de plusieurs générations. Mais qui a parlé de la dignité de l'attente, de la contenance dans la douleur, de celui – battu, résigné – à qui l'amour échappe ? Qui a parlé de la tristesse de Paris ? Son sentiment pour Juliette était-il moins pressant que celui de Roméo (« Monseigneur, je voudrais que ce soit demain [le mariage] », dit-il, acte III, scène IV) ? À quel degré de l'infortune commence-t-on d'avoir droit aux grandes orgues du tragique ? Les tragédies, même – et surtout – les mieux construites, ne font porter la détresse que sur les personnages et les situations qui sont propices au développement de l'intrigue. On y reconnaît plus typiquement qu'ailleurs que les ramifications du rire, que l'étoilement de la tristesse, que tout ce qui compose *une vie,* en somme, n'a pas beaucoup de place dans une fiction.

Nous sommes tous, pourtant, des Paris.

*

Apollinaire (de mémoire) :

L'amour s'en va comme cette eau ingrate
L'amour s'en va
Comme la vie est plate
Comme l'osier des mannes se dénatte

*

Tout ce qui confine à la perfection effleure la poésie, tout ce qui touche aux fonctions approche de la débauche. On verra bien, de l'un à l'autre de ces extrêmes, toute une déclinaison d'attitudes, de goûts, tendances inavouables ou simples fredaines : à chacun son bestiaire de rêves fous et de fantasmes mal assouvis. Mais la course de l'homme, il faut l'admettre, le conduit presque invariablement aux excès. Quand aucune défaillance ou coercition n'intervient pour le contraindre, c'est l'homme lui-même qui veille tout naturellement à sa réussite ou sa déchéance, y apportant la même application, la même science. Il ne faut pas oublier qu'avant l'histoire, le quotidien de l'*homo erectus* était réglé par le trouble de la faim et la quête de la nourriture. Il ne se connaissait que deux états – affamé et repu. Peut-être est-ce par une sorte de retour de son nomadisme que l'homme d'aujourd'hui, même assuré des nécessités vitales, épouse alternativement vertu et fornication, éveil et aveuglement, les deux extrêmes l'allumant avec la même force ? (Diderot, colleteur de termes prudents, ne s'y trompait pas : « Vois, Justine, comme dans leur cœur [des hommes] la vérité est à côté du parjure ; comme l'élévation y touche à la bassesse. »)

*

L'amour fait de l'homme le plus grave l'esclave d'une lingère.

*

MÉLANCOLIE. *n.f.* (bas lat. *melancholia*). **I** – Humeur qui naît de la rate, plisse les fronts, dépare l'homme de ses semblables, selon la croyance des anciens.

« L'homme sécrète la mélancolie comme le poulpe l'encre. » (Marc Ruel). **II** – Dérèglement répandu par contagion à la fin du XVIIIe siècle. La mélancolie naît d'un éveil aux distances qui séparent deux extrêmes. **V. surplomb, usure**. *« Certes, la mélancolie est féminine, à la différence du chagrin qui, lui, serait ce timon levé à la verticale après qu'on a dételé la bête. »* (Jacques-Léo Brieuc).

*

On connaît peu les poèmes à visage de comptine que Beckett a écrits en même temps que ses romans, que ses pièces (*Poèmes*, Éditions de Minuit, 1978). La beauté n'y prend guère le large à grandes volées – rien d'exubérant, de dionysiaque dans chacune des très courtes pièces (mais beaucoup de sagesse icarienne…). Les poésies de Beckett sont faites d'abrégements successifs (comme la vie…). La vérité qui les enveloppe est celle d'une veilleuse – faible main de lumière qui aide à la marche des somnambules, des rêveurs :

elles viennent
autres et pareilles
avec chacune c'est autre et c'est pareil
avec chacune l'absence d'amour est autre
avec chacune l'absence d'amour est pareille

On entre, on crie
Et c'est la vie ;
On crie, on sort
Et c'est la mort.

Dans ce dernier quatrain, Beckett a intercalé, entre deux temps capitaux (naissance et mort), un signe de ponctuation qui mérite plus d'attention qu'il n'y paraît. Le point-virgule, en effet, ne s'impose-t-il comme étant le meilleur symbole imaginable de la vie – demi-pause ambiguë, hoquet, durée trop brève pour être conséquente, trop longue pour être oubliable, anomalie peut-être, comme certains l'ont dit à propos du point-virgule ?

*

Cette pomme,
Fais-la rimer
Avec rien
André Darieu

*

Au début, ce n'est qu'un vertige là où d'autres éprouvent du bonheur ou de la gratification, une indécision, un emmurement qui tiennent de la curiosité au sein de la conviction ou de la congratulation générale. Puis les tâches les plus abordables, les contraintes les plus souples prennent le poids d'épreuves. Afin d'adoucir ces épreuves, certains choisissent de s'enrouler dans les vétilles jusqu'à l'hallucination, d'autres s'enivrent pour réduire les aspérités que font les choses déplacées ou étranges, la moire du fromage, la tension des fruits sur la céramique – leur affaissement quand ils aboutissent, mûrs, près de la fenêtre en laissant de minuscules grains. Le malheureux, bientôt, est comme sur une île.

Son univers se referme sur lui par petites lampées.

*

Grandes pièces où les hommes se dépensent, fument. Petites où ils se recueillent, jamais longtemps – à moins de passer pour suspects.

*

Rêve du 12 janvier. Un homme mal vêtu, banal. On le chahute un peu, on lui montre une échelle dont le sommet se perd dans le ciel diffus de la Toussaint. De jeunes adultes portant des brassards à motifs cruciformes, des plaisantins attifés de chapeaux à versants colorés le forcent à monter, lui tirent dessus à l'arme automatique, en prenant soin de le rater, jusqu'à ce qu'il atteigne une hauteur telle qu'il puisse lui-même choisir de se donner la mort en sautant dans le vide. Pour le guider – pour l'agrément aussi des badauds qui tiennent des paris –, on indique au grimpeur la hauteur à partir de laquelle il peut, en sautant, ici se briser les membres, là se rompre le dos, là encore s'écraser au sol comme une potiche. On a ajouté à la plaisanterie en indiquant, par ailleurs, combien chaque degré de l'échelle le fait s'approcher de son Dieu.

Pour les femmes, pas d'échelle. Un batteur à œufs inséré convenablement, puis, par l'ouverture ménagée avec soin, un ou deux mulots font l'affaire. On peut aussi tenir des paris.

*

L'assiette montre mille repas
Un cri seul
La ramène au silence

André Darieu

*

Les enfants ne s'encombrent pas de prudence : tout de suite, c'est la curée dans la tendresse, la truculence dans la menace et, chez les garçons surtout, une audace dans la confidence qui – pour équilibrer la réalité trop décevante, les promesses qui tardent à se réaliser – pousse généralement jusqu'au mensonge. Chez les filles, ce sera une absolue désinvolture dans le récit des premières nuitées amoureuses – bien vécues, celles-là – et une pratique dont on peut se demander d'où elle vient, *si tôt*: «Je sais que les garçons n'aiment pas quand je… »; «Je trouve drôle de les laisser finir d'eux-mêmes sur mon corps… ».

*

Les passages les plus radicaux d'un système à un autre, les plus grands revirements, où l'on méprise les cautions du passé, où l'on se donne à la griserie des départs, se passent de programmes ou de comptes rendus. Les *manifestes*, en effet, même s'ils sont imprimés et répandus avec fracas, ne sont généralement que des mémorandums ou des exutoires, à tout prendre inutiles. Ne sont-ils pas élaborés au même métier que les autres livres, avec seulement un peu plus de précipitation? Comment un texte (qui est tissage, puis reliure) peut-il épouser une rupture? Pour être vraiment honnête dans la révolte, il ne faudrait que des éructations.

*

Rêve du 14 juin. Les vachers poudreux, les mésanges affairées montent la garde – quand les bêtes sont encore étourdies par la nuit concise de juin. Puis le souffle des herbes annonce un fin brusque aux étoiles. On se met à songer à une flûte, à l'air qui s'avance dans l'instrument, empêché aux issues par les clefs qui se cabrent. Le poète, lui-même détramé par la nuit, se dit: l'aube, aujourd'hui, aux carreaux les plus bas, sera une missive.

Fraîches extases des commencements.

*

Le progrès n'emprunte pas les voies du bon sens, mais celles du profit. À preuve, cette architecture, cet urbanisme déréglés de l'Amérique du Nord, où la beauté est tellement imprévisible, tellement discrète, qu'on renonce à la trouver dans la massiveté des villes, dans la brûlante idiotie des campagnes.

Mais peut-on encore *construire*, à la vérité, en notre époque perplexe, qui hésite entre le cynisme et le recroquevillement ? Les hérissements, les asymétries qui caractérisent notre architecture sont probablement, oui, le signe d'une incroyance ravageuse – mais surtout un orgueil : celui de l'enfant qui répète son erreur plutôt que d'admettre qu'il s'agit d'une erreur.

*

Les incartades de l'esprit, plutôt que d'être traitées avec toute la pudeur qu'elles requièrent, sont aujourd'hui baptisées, catégorisées (comme les œufs !), poursuivies jusque dans le programme des émissions télévisées où on leur fait un sort de commérage. Le sérieux, la complaisance que l'on met à chercher des causes pour nos petits dérèglements, la prétention à exercer l'analyse là où souvent une étreinte ou un mot de réconfort eussent été de mise, il faut peut-être y voir un accident de notre siècle profane. On nous objectera : les fers et les saignées étaient-ils plus heureux pour traiter les malades, réels ou imaginaires, des siècles passés ? Du moins faisait-on plus grand cas de l'homme qui meurt que de la maladie qui lui a survécu.

*

Ce qu'il faut, c'est être doué ou intelligent avant la trentaine, lorsque les dons se trouvent multipliés par l'espoir et la durée possibles. Ceux dont les aptitudes, les lumières se révèlent plus tard – aubes plus tardives, étoiles plus lointaines –, on constate à travers l'histoire qu'ils servent souvent de relais, pour la conduite d'autres intelligences plus jeunes, d'autres volontés plus naïves.

*

Musique empourprée, faite pour les fatigues somptueuses, à laquelle les orchestrations apportent harmonie et profondeur. Musique squelettique, élémentaire du piano, qui avance dans l'air comme le travail du mathématicien sur la page ; musique de chaise droite.

*

Tableaux que l'on effleure du regard, qui présentent quelque chose de mouvementé mais plan. Tableaux dans lesquels on tombe, comme en certains pièges des bois où la surface garnie de feuilles recèle des branches plus solides, puis rien : le vide, l'attente. Un chasseur qui ne viendra pas toujours déprendre ses proies…

*

Ne pas négliger l'importance d'une montagne proche dans la résolution d'un homme d'épouser la Foi.

*

Tu crois qu'une part de toi-même ne va pas disparaître, mais poursuivre sa course dans un domaine qui lui est familier ? Mais cette liberté de l'âme dont tu parles, n'est-elle rien que dérobade – face à l'inéluctable – ou même, lorsque le corps se serait dissous, agonie plus longue encore ?

*

Soir du 6 octobre. Un chevreuil allégé, comme *débourbé* du réel – ainsi qu'on tâche à l'être soi-même, par tant de moyens – traverse la cour, son corps fuselé tenu sur des pattes à peine visibles. C'est un peu comme si une partie du paysage avait été tirée avec lui.

Mort, il ressemble à une plume couchée. La brunante a établi une ligne nouvelle, jamais vue, sur l'horizon. Est-ce un deuil, ce peuple de fines lumières ? Les arbres font penser à de petits groupes d'oiseaux noirs, saisis en vol.

Un camion réglementaire viendra le prendre avec un treuil, manipulé par un fonctionnaire peu ébranlé. Mais où l'emmène-t-on, maintenant, dans ce caisson de plastique peint aux couleurs de la voirie ? Un peu de sang reste encore à luire sous les lampes, s'accordant aux dernières teintes du jour.

*

Un mort n'est qu'une chose du paysage, bientôt rendu à celui-ci par la trame de l'herbe et le battement de quelques saules. Un mort avec un vivant – même indifférent – à côté prend tout son poids d'absence. Il fait peur, maintenant, avec sa forme si proche de la nôtre, épousant le sol – sa forme devenue *preuve*.

*

Dites, combien reçoivent en héritage un jardin ?

Deux grands

L'ATTENTIF

Heureusement que j'ai l'ouïe fine, comment ferais-je pour distinguer un astre d'un autre ?

René Char

Ah, que ce qui importe a peu de visage !

Yves Bonnefoy

Un jour où il m'avait invité chez lui, afin que nous discutions d'un projet d'édition de l'œuvre de Gabrielle Roy, et s'étant mis à m'expliquer les formalités du genre, les étapes à compléter pour que ce travail me tînt lieu de mémoire de maîtrise, Jacques Brault s'interrompit pour me questionner du regard. J'avais eu une légère distraction après qu'un grondement fût survenu à la cave. D'autres auraient fait peu de cas de ce bruit et moins encore de la fine absence qu'il avait provoquée en moi, d'autant plus qu'il ne s'agissait même pas d'un bruit, mais de la fin d'une rumeur, d'un assourdissement du silence. Il se trouva pourtant que cette modulation, dans l'air subtil de janvier, affleurât à l'oreille de mon hôte, le distrayant comme elle m'avait distrait. Il me confia alors avec bienveillance que ce n'était pas la musique des astres qui cessait, ni l'un de ces trous d'air dans le siècle – comme on en fait l'expérience à lire certains poèmes –, mais simplement un hoquet dans le fonctionnement de la fournaise. Un peu de ma timidité se dissipa à partir de cette amitié inattendue et comme sise, pour moi, quelques degrés au-dessus de la simple courtoisie. L'instant me parut discrètement solennel. Nous pûmes nous replonger dans la confidence soudain plus fine de Gabrielle Roy.

*

Il faudrait évoquer en premier lieu l'extraordinaire pouvoir d'attention de Jacques Brault. Là où d'autres attendent le doigt qui fait vibrer le tambour, la caution de quelque a priori théorique – ou pire : politique –, l'auteur d'*Au bras des ombres* n'a jamais eu crainte de se mesurer au mutisme des objets, à tout ce qui lui tourne l'épaule. Cette patience, cette volonté de se livrer au détail significatif, Jacques Brault l'a déjà désignée chez d'autres du nom d'*intimisme* – et c'est là sans doute le genre le plus sûr auquel on pourrait l'associer lui-même, malgré ses précautions à nous avertir qu'il « ne colle guère aux étiquettes ». C'est que l'intimisme, justement, ne colle à aucun procédé ni artifice, il ne naît pas d'une méthode mais d'une sensibilité. Il s'agit d'épouser au plus près une expérience partageable et transfigurante, d'établir entre les familiers une sorte de complicité rêveuse. La voix doit être juste comme une médecine, sobre comme une peine confiée à la lune : c'est alors que s'accomplit l'amitié du propos. On verra, par exemple, chez le poète Philippe Jaccottet, des « rivières de glace », des « étoiles basses sur l'enclume » ; chez Gabrielle Roy une vieille dame qui « regarde courir l'obscurité », dans un autobus où « les récits ont le don de rassembler les gens ». Le poète

André Darieu nous amène dans une « grande maison pleine de temps » où l'on « pince la chair des olives pour en voir passer la couleur du noir au mauve ». Chez Brault, on découvre un sentier de montagne qui « fredonne aussi juste que la pensée heureuse », un caillou qui « garde le silence avec autant de soin que lèvres closes ».

Sans doute, les férus de méthodes ne manqueront-ils pas de relever l'usage de l'oxymore chez Brault. Il est vrai que souvent, dans ses livres, le désaccord entre le nom et l'épithète, entre le sujet et le verbe crée un effet de houle. Un léger roulis de questions porte le lecteur à distance heureuse des certitudes, des ordonnances droites comme la pluie. Ce ne sont pas, évidemment, les oxymores baudelairiens qui portent l'imagination jusqu'aux excès du Bien et du Mal –, jusqu'à la grâce ou à la souillure (« La muse vénale... »). Plutôt : une contradiction à hauteur d'homme, où le mal s'attiédit par un sourire, où le bien se corrompt par une grimace. On a l'impression d'avancer à gué sur une rivière pleine de remous et de bruits : « tache d'innocence », « cri chuchoté », « bonheur accablant », « incultes instruits », « déracinés d'aucune terre », « on s'en vient alors qu'on s'en va ». Ces alliances inattendues font une œuvre exigeante, oui. Certains diront : *élitiste*. Mais on pourrait répondre à ce que d'aucuns considèrent comme un grief par ce mot de José Cabanis (à propos de Chateaubriand, cet autre grand poète) : « Il n'existe, dans l'ordre de la littérature, qu'un seul crime, qui est d'écrire platement. » Or, pas de « fausses pages blanches », chez le poète de *Moments fragiles*, pas de mots pour rien, pas de « pages blanches maculées ». Jacques Brault n'est pas un nageur de surface comme tant d'essayistes, un échotier comme bon nombre de romanciers, un somnambule comme la plupart des poètes. Il n'a que faire de l'étonnement des simples. On dira aussi, peut-être, qu'une telle discipline à ne retenir que ce qui parle sur le ton de la confidence ne fait pas, au bout du compte, une œuvre massive. C'est vrai. Celle de Brault est un moment de paix et de beauté très fragiles, dans le fracas des auteurs à publication rapide.

*

Commencée à Montréal, l'œuvre de Jacques Brault a, pour ainsi dire, suivi son auteur à la campagne, dont elle a épousé les reliefs et les subtiles séparations de couleurs. Les poèmes courts et les proses ont remplacé les versets que le poète affectionnait dans sa jeunesse. On peut supposer aussi bien que l'établissement du poète hors de la ville, dans la paix onduleuse des cantons de l'Est, ait compté pour une part dans ce que la fraternité à saveur politique, telle qu'exprimée dans les premiers recueils (« mes frères », « mes camarades », « je sais que nous », « ô mon pays »), laisse la place à une plus grave amitié (« très chers, laissez-moi vous... »), où les hommes se rejoignent par-delà les aléas de l'histoire, en ce qu'ils ont de plus ressemblant, c'est-à-dire de plus pathétique. Jacques Brault a atteint, d'ailleurs, au surplomb qu'il faut pour admettre parfois ne plus comprendre ou ne plus désirer : « Ville ou campagne, buildings ou brins d'herbe, quelle différence ? [...] il n'y a plus de chemin. » Ce qui avait commencé trente ans plus tôt par un soulèvement, le refus de toutes les pauvretés, aboutit au dénuement, à la solitude. C'est Gilles Marcotte qui a le mieux expliqué le *consentement* qu'expriment les derniers recueils du poète. « Une horreur lente et tranquille nous apparaît peu à peu plausible, puis inévitable » : ainsi le poète décrit-il la venue de l'automne dans son livre *La poussière du chemin*. Ailleurs, dans *Agonie*, il propose un art de vivre qui tient de l'« acquiescement de l'alouette » plutôt que de l'« imprécation du chardonneret » : il faut, écrit-il en substance, retourner au néant en paix avec soi-même, tels ces oiseaux qui se cachent « pour guérir ou mourir ». Un passage d'*Il n'y a plus de chemin* suggère, toujours dans le même esprit d'acceptation, qu'il faut prendre le dernier droit sans trop se réchapper, sans trop se « connaître cadavre ».

On se tromperait, cependant, à ne voir en Jacques Brault qu'un mélancolique ou un misanthrope – un promeneur qui papillonne près des vérités sombres. Dans le récit du dénuement, parfois, perce l'ironie, le prestige délicat de la poésie ou du détail intimiste : un grillon fait rempart contre le silence, une pierre offre sa joue d'enfant pour témoigner de l'éternité, un mot bienvenu, le sourire d'une ridule prêtent vie à un bonheur inaperçu et à peine visible (*Ô saisons, ô châteaux*). En vérité, si Jacques Brault nous plonge communément dans une atmosphère d'automne, c'est peut-être que là seulement parlent sans pudeur murets, lunes basses, neiges – et tous les êtres fissurés de mélancolie. Le poète, au bras de ces ombres, se fait alors le *passeur*, celui qui nous convainc que la nuit qui approche est « conseillère » et « secourable » et qu'elle peut être traversée sans heurt. La pauvreté, même durement vécue – « mes parents cultivèrent la pauvreté comme d'autres les relations d'affaires » –, ne tarde pas alors à devenir tendresse. Le père dont la gaucherie prête à rire, le frère qui frissonne sous les drapeaux, la mère qui étire chaque bonheur jusqu'à la corde: c'est la pauvreté de la tige attirée par le poids de la fleur.

*

Jacques Brault a la modestie de ceux qui éblouissent, l'humilité de ceux qui connaissent la douleur. Son œuvre, il l'a entreprise et poursuivie loin des familiarités et des appuis cordiaux, loin de l'embrigadement des écoles et de la course aux récompenses. Les nombreux prix qui lui ont été décernés, il les a acceptés, oui (les refus ne sont-ils que des obliques pour atteindre à plus de notoriété ?), mais il les a reçus sans bruit et l'on pourrait même supposer sans joie, comme quelqu'un qui touche une prime pour un métier qu'il aime et qui suffit amplement à le payer de retour. « J'écrivais, j'avais écrit sans aucun titre, dit-il. Avec l'insouciance des pertes et des profits que met à l'exercice de son métier un artisan retraité. » Nous parlons d'un poète amoureux, aussi bien dire blessé, aussi bien dire perspicace.

S'il fallait lui trouver une parenté littéraire, on pourrait évoquer Villon (celui qui rigole devant le gibet), Montaigne (l'érudit qui joue au naïf), Cioran (dans les moments d'impatience, lorsque l'ironie ne suffit plus à les conjurer), Emily Dickinson, Bashô, Chardonne, Daudet, Gabrielle Roy, Beckett (qu'on entend plus fort encore que Villon…), Laforgue, les troubadours, René Char, Philippe Jaccottet, on n'en finirait plus: tous les grands au jardin qui ont su oublier parfaitement leur grandeur, qui ont murmuré dans la confidence plutôt que d'exploiter leur surplomb afin d'impressionner. Sans doute, l'auteur d'*Au fond du jardin* n'aura-t-il pas connu – et ne connaîtra-t-il – les succès de boutique qui profitent aux théoriciens racoleurs et autres moulineurs de texte. On ne verra pas, sous son nom, de livres bâtis à la diable, fourrés sous une couverture chatoyante, « lancés » à grand renfort de publicité, livres de braderie, éclairés au néon, jaunis aux étals d'une industrie sans mémoire. Mais minutie et discrétion ne sont-elles ce qui conduit le plus assurément dans l'histoire ?

LE FUSIL D'ÉPAULE

Pour avoir fait pareille déchirure,
ce ne peut être un rêve simplement qui se dissipe.

Philippe Jaccottet

On l'aimait non pas en raison d'un don particulier, mais à cause de ses inoubliables digressions, où il enlevait ses lunettes afin de sourire au passé pendant qu'il polissait les verres du présent.

Vladimir Nabokov

Le professeur Georges-André Vachon n'avait pas, bien qu'il y parût quelquefois, l'indécision d'une girouette. S'il arrivait que sa voix forte fléchît, au milieu des phrases dont il était prodigue, il faut en faire grief aux nombreuses contradictions – plus cuisantes chez les esprits forts – avec lesquelles chaque jour il était aux prises. Mais ces contradictions ne l'empêchaient pas tout de même de reconnaître, à travers la pensée hiératique de Claudel, les « scories » de Verlaine ou les ricanements des surréalistes, ce qui, nous assurait-il, « vaut le détour ». Il fallait voir l'emballement qui le prenait lorsque, parmi ses contemporains, il se mettait à juger du meilleur et du pire. Georges-André Vachon ne se faisait pas prier, alors, pour tourner en dérision – ou pour porter aux nues – ces œuvres sur lesquelles s'était arrêtée son attention. Le jugement tombait, excessif, irrévérencieux, caustique parfois jusqu'à l'effronterie, ou au contraire tellement sympathique qu'on pouvait soupçonner le parti pris salarié ou la congratulation d'office.

Vachon – Georges-André de son prénom trop peu mentionné – ne faisait rien pourtant, dans ces excès, que se rendre aux conseils de Montaigne, frottant et limant son esprit à celui d'autrui, se gardant d'épouser les idées définitives, questionnant le savoir auquel chacun avait prêté d'emblée sa confiance. Mais les conseils de Montaigne prenaient chez lui une signification réelle, à mille lieux du palabre et de la complaisance. Les esprits, dans les séminaires de Georges-André Vachon, tendaient effectivement à s'informer par la manifestation de leurs différences ; le résultat pouvait en être un de compromis ou de désaccord, mais jamais il ne manquait que jaillissent des étincelles. Le professeur, en bon maître de jeu, levait les obstacles, dérangeait les certitudes, enfouissait lui-même quelques mines, là où la pensée risquait de se scléroser. Il n'hésitait pas à jouer l'avocat du diable, souvent, pour relancer un débat dont il lui semblait qu'il s'acheminait vers une trop facile conclusion. On aura pu – on n'y a pas manqué – lui reprocher ses visions partisanes, ses manières excessives ; plus d'une fois, il est arrivé que des étudiants quittent sa classe – perplexes, inquiets, vexés.

Mais la plupart de ceux qui ont connu Georges-André Vachon gardent un bon souvenir de ces acrobaties verbales du professeur, où il était proposé l'apologie d'un auteur, mais où, sans tarder, on se serait crus plutôt invités à un éreintement en règle de cet auteur. Le regard du maître, on s'en souvient, se portait alors alternativement dans le livre à l'étude, tenu d'une seule main à hauteur du visage, puis sur la classe, afin d'apprécier l'effet que produisaient les débordements de la parole, les phrases lancées comme des brûlots. « Ce cours s'adresse à ceux qui croiraient n'avoir jamais appris à lire, ce qui ne serait pas si étonnant », lisait-on dans un de ses plans de cours officiels... Les lunettes à monture dorée étaient ajustées sur le bout du nez, tenues dans une main, puis dans l'autre, oubliées sur un pupitre, reprises enfin jusqu'à la prochaine illumination qui interrompait la lecture. La main libre épousait les excès de la parole, ponctuait les sorties d'opinions, agrémentait la lecture des vers de Mallarmé, Jouve, Rimbaud, Darieu, Miron, Brault et combien d'autres. « Ô ton visage comme un nénuphar flottant », commençait le professeur avec une voix lente et chaude, portée sur un ton où prévalait tantôt le questionnement, tantôt l'admiration.

La superbe dans l'intransigeance, la démesure dans la portée des éreintements comme des apologies, enfin les revirements aussi inattendus que convaincants, tout cela contribuait au pittoresque et à la saveur du personnage. On retiendra, pour la chronique, que Georges-André Vachon a conduit une motocyclette pendant quelques années, puis une voiture japonaise qui paraissait minuscule tant la banquette arrière, le tableau de bord étaient encombrés de journaux, de documents, de livres. Les vestons de tweed, chapeaux anglais, cravates de tricot sombres que le professeur affectionnait lui donnaient le même air que devait avoir Vladimir Nabokov, professeur lui aussi, compatriote dans l'érudition et les traits acerbes... Pas un restaurant ouvrant ses portes à Montréal qui ne faisait les frais d'une critique. Un mauvais plat de spaghettis déclenchait des accusations d'hérésie, un café trop faible coûtait sa réputation à l'établissement… Les idées, les gestes de monsieur Vachon gardaient une jeunesse telle qu'on n'aurait pas soupçonné que l'homme approchait les soixante-dix ans. Sa disparition, en 1994, a été reçue avec une surprise immense par les gens qui le connaissaient de près, car son esprit était celui d'un homme qui a tout encore devant soi.

*

Georges-André Vachon, nous sommes quelques-uns à le croire, pratiquait le décentrement, le sarcasme comme une sorte de *pudeur* de la pensée. L'ironie, chez lui, comme chez toute personne douée de vision, était le signe d'une intelligence poussée jusqu'à l'amertume. À cet égard, le professeur n'était pas sans ressembler à l'un de ses maîtres à penser : André Breton. Toutes proportions respectées, il est concevable, en effet, que Vachon aura atteint à la même hauteur de vue, au même aplomb dans le jugement, que le pape du surréalisme. Aussi bien, cependant, il n'aura jamais perdu cette fougue, ce rire facile propre aux surréalistes mineurs, soldats de la guerre des idées, lanceurs de tartes à la crème, amateurs d'expéditions punitives et autres sauteries. Tel auteur, par exemple, dans son tableau de chasse, n'aura jamais été qu'un « symboliste attardé », tel autre se sera vu décerner le titre de « rongeux de balustres », un autre encore, qui aura eu le malheur de survivre à son œuvre, aura été qualifié de « mort avant d'être né ». Au sujet du banquet Moréas, Vachon y sera allé de ce commentaire sans équivoque : « Quand on en est rendu à couper des gâteaux de noces ensemble, c'est signe que le mouvement décline. » Ces sorties d'humeur tenaient bien du règlement de comptes à la façon surréaliste. Elles n'auraient pas déparé ce qui tombait de la plume de Breton, Soupault, Picabia, Aragon, Éluard, Péret.

Cependant, malgré leur folie abracadabrante, les jeunes surréalistes honoraient tout de même une certaine mesure de prudence. Par les choix qu'ils opéraient dans la dictée de l'inconscient – l'œil resté ouvert dans les récits de rêve –, Breton et ses disciples ne s'abandonnaient pas aussi aveuglément qu'ils le prétendaient au « hasard objectif ». On pouvait reconnaître une raison, une courbe de vertèbres liant leurs activités ; de même en allait-il chez Georges-André Vachon. Il est possible d'affirmer, en effet, que le professeur aimait tout d'abord les beautés *fortuites* – beautés issues d'écrivains qui avaient pris, très tôt, le parti du détachement. On aura pu noter, par exemple, qu'il inscrivait le plus souvent au programme de ses cours des auteurs qui avaient eu peu de considération pour la littérature, y compris même, parfois, pour leur propre travail. C'étaient Breton, dont on connaît l'iconoclasme ; Claudel, devenu poète *après* s'être cru refusé à la religion ; Valéry, lavant ses mains tachées d'encre le matin, pour vaquer à d'autres travaux ; Rimbaud se consacrant au négoce au tournant de sa vingtième année ; Darieu parcourant les librairies de Paris pour y reprendre ses recueils et les détruire ; Miron, préoccupé des circonstances du poème autant que du poème même. D'un autre côté, on pouvait être sûr que monsieur Vachon accueillerait avec un mépris passionné les mélancoliques, les attendris, les crispés, les orfèvres, les engagés, salonnards ou politicailleurs.

Les coteries littéraires étaient sa cible favorite. Formalistes, structuralistes, nouveaux-romanciers et autres déchiqueteurs de sens, le professeur ne faisait pas de quartier : ces écoles, disait-il, agréent à de jeunes gens bruyants et revendicateurs, comme une faveur de l'histoire aux prétentieux et aux incapables !

Peut-être, pour cet homme un jour devenu laïc, l'écriture était-elle demeurée comme une manière de religion, avec tout ce que cela implique de doutes et d'éclaircies, d'éclipses et de retours, en un mot d'*excès* : « Qu'as-tu besoin d'un Dieu, puisqu'il n'est rien audessus de toi, écrit-il. Mais ne va pas non plus adorer le Dieu qui est en toi, comme s'il était séparé de toi [...]. Tous les moyens sont bons pour réintroduire dans ta vie un Dieu séparé. » Peut-être était-ce par esprit de communion qu'il préférait les auteurs n'ayant consacré qu'une part mesurée, voire dédaignée, de leur vie à l'écriture. Il aurait trouvé en eux l'exemple de gens qui, comme lui-même, cherchaient quelque chose de grand, d'idéal, *à travers* la littérature, et qui, n'aboutissant pas, se repliaient dans une sorte de dilettantisme inspiré, plus bas que la pleine lumière, mais au-delà des divertissements du commun.

*

Il ne faudrait pas manquer de souligner, enfin, à quel point le professeur encourageait les vocations individuelles, qu'elles soient tâcheronnes ou inspirées. Vachon, dans ses cours, prêchait d'exemple une lecture sensible, gourmande, des poètes – s'interdisant les typologies, ne forçant jamais les significations, proposant une explication qui faisait, sur l'œuvre étudiée, l'équivalent d'un vêtement ample. En vérité, il *surprenait*, pour ses élèves, le génie dans son intimité, le mystique dans sa quête ; puis, les ayant *surpris*, le génie, le mystique – les ayant dégagés de tout artifice et de toute pudeur –, il se livrait aux excès et aux revirements évoqués plus tôt, refermant la porte précipitamment, confondant les esprits crédules ou paresseux, interdisant les croyances aveugles dont sont faites les doctrines.

Homme de contrastes, volontiers iconoclaste, capable d'amener une idée à la dignité de précepte pour ensuite la saborder dans une sorte d'autohumiliation déroutante, Georges-André Vachon aimait mieux démembrer ses propres arguments que de voir s'instaurer dans ses cours le ronron de la théorie ou le dogmatisme des écoles. Ses emportements, ses « coups de cœur » comme il les appelait, étaient toujours, justement, tout à fait cordiaux et réfutables, ce qui faisait de lui une charité rare dans le domaine un peu impérieux de l'érudition. Il avait compris, comme peu d'autres, que l'appesantissement, que l'insistance dans le commentaire risquent d'être malvenus et qu'il vaut mieux qu'une parole sympathique – ou, pourquoi pas, adverse ? – vienne arrêter les contours de l'œuvre à l'étude. Nous sommes nombreux, aujourd'hui, à lui en savoir gré.

Table

Le Briquetier et l'Architecte a été composé
en caractères Times corps 12
et achevé d'imprimer par AGMV Marquis inc.
le dixième jour du mois de mai de l'an deux mille
pour le compte des Éditions du Noroît
sous la direction littéraire de Paul Bélanger.